O PODER DA CURA

PE. REGINALDO

AUTOR BEST-SELLER COM MAIS DE 6,3 MILHÕES DE EXEMPLARES VENDIDOS

MANZOTTI

O PODER DA CURA

petra

Copyright © 2022 by Pe. Reginaldo Manzotti

Direitos de edição da obra em língua portuguesa no Brasil adquiridos pela Petra Editorial Ltda. Todos os direitos reservados. Nenhuma parte desta obra pode ser apropriada e estocada em sistema de banco de dados ou processo similar, em qualquer forma ou meio, seja eletrônico, de fotocópia, gravação etc., sem a permissão do detentor do copirraite.

Petra Editora
Rua Candelária, 60 — 7.º andar — Centro — 20091-020
Rio de Janeiro — RJ — Brasil
Tel.: (21) 3882-8200

Impresso na Exklusiva.

Nihil obstat
Pe. Fabiano Dias Pinto
Censor arquidiocesano

Imprimatur
† Dom José Antônio Peruzzo
Arcebispo Metropolitano de Curitiba
Curitiba, 3 de fevereiro de 2022

Dados Internacionais de Catalogação na Publicação (CIP)

M296p   Manzotti, Padre Reginaldo
         O poder da cura / Padre Reginaldo Manzotti. –
1.ª ed. – Rio de Janeiro: Petra, 2022.
         176 p.

         ISBN: 978-65-88444-51-1

         1. Cristianismo. I. Título.

                                               CDD: 233
                                               CDU: 2-184

André Queiroz – CRB-4/2242

SUMÁRIO

Introdução 7

Capítulo 1
A maior de todas as curas 11

Capítulo 2
A cura não vem apenas porque queremos 23

Capítulo 3
Como pedir e ser atendido 35

Capítulo 4
Transformar para curar 49

Capítulo 5
A cura para ser feliz 62

Capítulo 6
A cura da mente aprisionada 80

Capítulo 7
A cura dos olhos 95

Capítulo 8
A cura dos ouvidos e da fala 108

Capítulo 9
A cura do coração 124

Capítulo 10
Libertação dos pés e do agir das mãos 136

Capítulo 11
Cura pela intercessão de Maria 150

Capítulo 12
Cura pelo encontro pessoal com Jesus 163

Conclusão 172

Referências bibliográficas 175

INTRODUÇÃO

Sempre que pedimos a Deus algum tipo de cura, geralmente ficamos limitados às nossas dores corporais e psíquicas.
No entanto, será que Ele não tem muito mais a nos oferecer?

Se a graça se resumisse a apenas isso, então por que Jesus não curou todos os cegos, aleijados, surdos e enfermos em geral, em vez de fazê-lo apenas pontualmente? E quando a cura pedida, chorada e rezada de um mal físico não ocorre, significa que Deus não escutou a nossa oração?

Muitos de nós tivemos um passado sofrido, marcado por dores e traumas. Mas como aliviar o peso da bagagem que carregamos e viver plenamente o presente?

Este livro traz respostas para essas questões, além de ampliar nossos horizontes a respeito da verdadeira cura que Deus quer realizar em nossas vidas. Trata, em suma, da proposta curativa de Jesus Cristo, que se dispõe a retroceder conosco na raiz de quaisquer enfermidades a fim de curá-las e nos deixar livres. Não se trata de um toque mágico, mas de uma experiência de fé.

Isso, porém, também exige algo de nós. Cabe, pois, a pergunta: até que ponto vai a sua real disposição?

Retomando as passagens bíblicas sobre a missão de Jesus e as curas operadas por Ele, espero que você possa compreender o verdadeiro sentido desses textos, para além do que está escrito. A mensagem subliminar, isto é, aquilo que é dito nas entrelinhas, tem alto poder curativo, mas precisamos ser capazes de captar, internalizar e, sobretudo, implementar essas diretrizes em nosso dia a dia.

Gostaria muito de poder conduzir você nesse "tratamento intensivo" de cura interior por meio deste livro. Talvez se trate de um processo exaustivo de autoconhecimento e correção de rota, a começar pela compreensão equivocada de que viver conforme os mandamentos de Deus acabaria por tolher nossa liberdade individual. Ao contrário do que pensamos, a liberdade cristã é uma grande conquista, um privilégio que nos faz encontrar e experimentar verdadeiramente as coisas boas da vida.

Cortes, podas e renúncias são necessários nesse processo. Porém, não é esse o caminho natural do crescimento?

Deus nos fez com todo amor à Sua imagem e semelhança. Mente, olhos, coração, mãos e pés são partes do nosso corpo; então, convido você a confiá-los ao escrutínio do "Médico dos médicos". Colabore entregando suas dores e queixas, e também refletindo sobre elas. Ajude-O no diagnóstico. Não que Ele já não saiba, mas esse exame minucioso é, antes de tudo, uma tomada de consciência para você.

Em minha vida, Maria Santíssima ocupa um lugar muito especial, e por isso também incluí algumas reflexões sobre uma oração cada vez menos rezada, mas que faz parte do Rosário tal qual tradicionalmente o rezamos: a Salve-rainha. Essa oração engloba a realidade de uma Mãe que acompanha todo o processo de salvação e redenção da humanidade. Tenho certeza de que você, com base nessa compreensão, vai resgatá-la e incorporá-la como indispensável em sua vida.

Por fim, tudo o que foi escrito neste livro tem um propósito claro e edificante: levar-nos a um encontro pessoal e intransferível com nosso Mestre e Senhor Jesus Cristo. A partir desse encontro, você dará um salto qualitativo em sua vida.

E lembre-se: é muito importante aceitar os "remédios", orientações e prescrições aqui recebidas. O processo pode ser longo e o tratamento, vitalício, mas o resultado será maravilhoso: sua cura e libertação.

CAPÍTULO 1

A MAIOR DE TODAS AS CURAS

O mundo nunca esteve tão doente. Refiro-me à sua saúde física, mental, emocional e, é claro, espiritual. E, antes que alguém me pergunte, já me apresso em responder: a culpa pelas doenças que acometem as pessoas e pelo seu sofrimento não é de Deus!

Todos nós temos algo a curar em algum momento da vida. Basta pensarmos na explosão de casos de Covid-19 em todo o planeta, com raríssimas exceções de relativo controle. Precisamos, mais do que nunca, restaurar o bem-estar e a dignidade de viver.

Pois bem. Fomos criados com corpo e alma (espírito). Não obstante, quando pensamos em cura, logo a relacionamos apenas à parte física, formada por todos os nossos órgãos e suas funções. Em parte, isso é bastante compreensível, afinal é por meio do corpo que deixamos transparecer a nossa fragilidade, que aumenta progressivamente com o passar dos anos.

Não é nenhuma novidade que, a partir do nascimento, o corpo humano se desenvolve e se deteriora ao mesmo tempo. Até que, em um momento derradeiro da nossa vida, a qual, esperamos, seja o mais longa possível, a morte se consuma. Nesse percurso, a cura do corpo, aquilo que chamamos de cura física, é cura de apenas uma parte do nosso ser, e não a nossa totalidade.

O espírito é o primeiro que adoece

Uma frase muito conhecida diz: "Quando a cabeça não pensa, o corpo padece." Eu diria algo ainda mais certeiro: "Quando o espírito está doente, o corpo sofre."

No meu livro *Feridas da alma*, abordei mais profundamente o que pode levar nossa alma a adoecer. Aqui retomo de forma sucinta a ideia de que, quando nos afastamos de Deus, quando colocamos em Seu lugar falsos deuses e ídolos, quando nos embriagamos com paixões e ilusões mundanas, nossa alma adoece. Isso porque, como sempre enfatizo, fomos criados por Deus, dEle viemos e para Ele voltaremos. Sofremos sem o Amado de nossa alma. Como diz o Salmista: "Eu tenho sede de ti, ó Deus vivo!" (Sl 42, 1).

Um dos versículos das Sagradas Escrituras mais pertinentes para os dias atuais, marcados pela pandemia e pela violência de grupos radicais mundo afora, encontra-se no Livro de Josué: "Se vocês não querem ser servos do Senhor, decidam hoje a quem vão servir. Resolvam se vão servir os deuses que os seus antepassados adoravam na terra da Mesopotâmia ou os deuses dos amorreus, na terra de quem vocês estão morando agora. Porém eu e a minha casa serviremos a Deus, o Senhor" (Js 24, 15).

Vou ainda mais fundo.

Por que não enxergarmos nossa família e cada um de nós como uma "casa", isto é, a morada do Espírito Santo?

Isto mesmo: você e sua casa devem servir ao Senhor, com retidão.

Podemos pedir:

Senhor, envia Teu Espírito Santo.
Tira do meu horizonte os deuses falsos.
Dá-me clareza quanto ao demônio que estou servindo.
Quanto ao ídolo que está reinando em minha casa.
Quanto ao falso deus que está me seduzindo.
Quero servir somente ao Senhor.

Constantemente, temos que nos perguntar: como está a nossa casa, ou seja, o nosso interior?

Há muitos que estão vivendo num deserto — ou, como sugere o Salmo 1, "como palha que o vento leva". Mas não se trata daquele deserto que avistamos quando vamos ao Atacama ou ao Saara. Não. Refiro-me ao deserto interior. Aquele que já cansamos de tentar fazer florir artificialmente, por meio de substâncias psicotrópicas e antidepressivos, como a fluoxetina, sertralina, paroxetina e todas as "inas" que a psiquiatria possa disponibilizar. Contudo, a verdade é que continuamos morrendo de falta de ar no campo seco.

Algumas circunstâncias, como enfermidades, desemprego, desentendimentos, acentuam essa morte em vida. Muitas vezes, a "casa" até tem boa aparência e nem percebemos o que está acontecendo. Em outros casos, o desânimo é tanto que ficamos paralisados.

Uma senhora certa vez me disse: "Padre, eu estou tão ruim que não tenho coragem de arrumar minha casa, de colocar uma flor, um enfeite."

O lugar onde habitamos é um reflexo do nosso interior; se não temos gosto para nada, entramos num processo que vai ressecando e minando nossa existência em todas as áreas.

Somos feitos e *curados* à imagem de Deus

Sempre repito que o Senhor é nosso restaurador. Ele quer florir a nossa vida, restaurar a nossa casa interior, assim como aquela que compartilhamos com familiares e amigos, dando-lhes um colorido alegre e com brilho. Para tanto, convém clamar:

Senhor, eu aceito o Teu poder de cura.
Eu aceito o Teu poder de restauração.
Eu quero e preciso de uma cura interior!
Eu me sujeito à Tua cura, Senhor.

Para servir ao Senhor e colocar a nossa casa ao Seu serviço, temos de passar pelo processo de cura. Deus quer nos curar. Isso faz parte da própria economia da salvação.

O plano de Deus, após a Queda do Éden, consiste em curar nossas enfermidades do corpo e da alma. Há uma profecia belíssima a esse respeito: "Procurarei as ovelhas perdidas, trarei de volta as que se desviaram, farei curativo nas machucadas e tratarei das doentes" (Ez 34, 16a).

Infelizmente, muitos já não acreditam nisso e até das Sagradas Escrituras estão duvidando. Mas Deus, Ele próprio, nunca duvidou de nós: afinal foi dEle que viemos, e o Seu poder é infinito. Ele é o Deus do milagre. Não um deus milagreiro, mas o Deus do impossível. O que pode fazer em nossa vida, hoje, é exatamente isto: enfaixar nossas dores, curar as feridas e transformar nosso viver.

No Antigo Testamento, chama a atenção um dos nomes pelo qual Deus era conhecido: *Jeová-Rafa*, ou seja, "O Senhor que cura" (Ex 15, 26). O termo *Rafa* era usado no sentido de curar, principalmente um distúrbio físico, restituindo as forças a quem esteve padecendo com a doença.

Também nas Escrituras hebraicas é citado Rafael, o anjo da cura. O nome deste ser angélico tem origem no hebraico, com a junção de *Rafa*, cujo significado é "cura ou curou", e *el*, que quer dizer "Deus". É exatamente isso o que ocorre na intervenção do arcanjo Rafael, que acompanha Tobias e o ensina como curar a cegueira de Tobit, seu pai, e a libertar Sara da maldição do Demônio, a fim de que possa desposá-la (cf. Tb 5, 4-5; 6, 11-22; 11, 7-8).

De acordo com as Sagradas Escrituras, ser curado não é apenas fazer "sarar" um mal físico, mas implica a restauração da pessoa e da sua dignidade como ser humano. Ela é reintegrada na vida da comunidade à qual pertence. E isso de tal modo que Jesus, em Suas incursões, não só curava os doentes e endemoniados, mas os resgatava da marginalidade em que viviam. Em outras palavras, Jesus devolvia a dignidade, reintegrava e salvava.

A cura faz parte da nossa relação com Deus

Jesus veio para curar, libertar e salvar o ser humano em sua totalidade, o que sempre abrangeu tanto as enfermidades físicas, mentais e emocionais quanto as espirituais. A trajetória da humanidade é, antes de tudo, uma experiência curativa.

Muitos podem perguntar: "Mas, se é assim, por que tantos morrem com as doenças?"

A resposta é simples: não podemos compreender a cura apenas pelo aspecto físico. Por exemplo, no Antigo Testamento, ficamos a par da "grande cura" promovida por Deus ao libertar um povo completamente escravizado. Afinal, o que é a Páscoa senão um rito de cura?

Voltemos, ainda, nosso olhar para Cristo pendido na Cruz. Por suas Chagas, fomos curados!

Cito esses exemplos para mostrar o quanto a nossa visão de cura é limitada, sempre a reboque das dores físicas. Só que a cura é algo muito maior. Refiro-me, em última instância, à secura da alma. Àquele estado lastimável de quem perdeu a vontade e a alegria de viver. São espíritos que agonizam porque estão sedentos de Deus, e não de uma cura meramente pontual. Eles têm sede do Deus Curador, não do Deus curandeiro, como já mencionei.

No Antigo Testamento, vemos que a "grande cura" foi a libertação da escravidão alcançada pelo povo hebreu cativo no Egito. Muitos supõem que o fato mais importante ocorreu quando Moisés dividiu as águas e atravessou a pés enxutos o Mar Vermelho, cujas águas voltaram a se fechar e afogaram o exército egípcio com seus carros e cavaleiros. Mas o grande feito foi anterior: deu-se na noite em que os israelitas comeram a carne do cordeiro e tingiram suas portas com o sangue do animal, conforme o Senhor havia ordenado! Deu-se quando o anjo da morte desceu ao Egito para executar a décima praga e os israelitas tiveram a vida de seus primogênitos poupada (cf. Ex 12, 21-29).

Portanto, a Páscoa que nós celebramos não se origina na travessia do Mar Vermelho, mas na ceia pascal em que a morte passou pelo povo de Deus sem exterminá-lo e a vida prevaleceu.

Se, no Antigo Testamento, a noção de que Deus fere se faz presente, a certeza de que Ele cura também é muito forte. "Eu sou o Senhor, sou aquele que te cura" (Ex 15, 26). Não por acaso, procurar os recursos oferecidos pela medicina era visto como uma espécie de atentado contra a soberania de Deus. Com o passar do tempo, houve um avanço significativo nesse sentido. No Livro do Eclesiástico, por exemplo, muitos reforçam que a saúde vem de Deus por intermédio da medicina.

Faço essa reflexão para rebater os argumentos daqueles que são relutantes em tomar qualquer tipo de remédio. Isso é pura insensatez e beira os limites da ignorância! Costumo dizer que Deus age e cura quando ilumina o tratamento de quimioterapia realizado para combater um câncer. E vou mais longe: Ele já começou a Sua cura quando levou os pesquisadores a descobrirem desde a penicilina até as vacinas contra a Covid-19 e todos os medicamentos que apresentam resultado eficaz. A medicina e suas descobertas já seguem a vontade de Deus.

A cura que pedimos nem sempre é a de que necessitamos

Mencionamos a questão da cura tal qual apresentada no Antigo Testamento. Também avançamos ao constatar que esse dom curativo deve ser compreendido na dimensão do nosso relacionamento com Deus e com o próximo.

A cura é, portanto, algo que vai muito além da noção de saúde e bem-estar. Repito: se pararmos para observar, toda ação de Deus após desobediência de nossos primeiros pais tem sido no intuito de curar a humanidade. Portanto, criação e salvação estão associadas. Mais do que isso: com base nos ensinamentos bíblicos, é possível afirmar categoricamente que existe uma ligação direta e estreita entre cura, libertação e salvação.

Desde o início da história do povo de Deus, havia a expectativa da vinda de um salvador que viria para curar. De fato, isso se concretizou na encarnação do Filho de Deus, mas em nenhum lugar está escrito que essa cura se daria do jeito mais óbvio.

Aproveito para citar um personagem que nos mostra exatamente quanto a ação curativa pode ser realizada de um modo diferente. Refiro-me a Naamã, homem de origem síria que sofria com a lepra. Ao tomar conhecimento de que em Israel havia um profeta chamado Eliseu capaz de operar milagres, valeu-se da condição de chefe das tropas do rei para pedir-lhe ajuda.

Naamã esteve com o rei de Israel, mas este frustrou suas expectativas ao rasgar as próprias vestes e dizer que não tinha nenhum poder sobre a vida e a morte. Ciente do fato, Eliseu, na condição de líder espiritual, prontificou-se a atender Naamã, que desembarcou da carruagem em frente à casa do profeta, acreditando que seria recebido com toda a pompa e circunstância. Contudo, Eliseu não se deu ao trabalho de vir até a porta; apenas enviou um recado pelo mensageiro, explicando o que ele deveria fazer para ficar curado.

O comandante ficou furioso: afinal, ele era o chefe do exército do rei e esperava ser muito bem recebido por Eliseu. No entanto, em vez disso, o profeta nem sequer quis conhecê-lo, recomendando por meio de um terceiro que se lavasse sete vezes no rio Jordão. Possesso, Naamã vociferou que em sua terra havia rios mais limpos e partiu decepcionado.

Mas os servos o convenceram a seguir o conselho do profeta. Afinal, banhar-se no Jordão não exigia sacrifício algum, e nem de longe se tratava de uma missão impossível, conforme a expectativa de todos. Assim, Naamã realizou esse simples ritual e sua carne ficou limpa como a de uma criança. Voltou até a casa de Eliseu e quis presenteá-lo, mas ele não aceitou. Então, aquele que havia chegado ali cheio de si e "dono da verdade" autodenominou-se "servo" do profeta, pedindo-lhe que deixasse levar um pouco da terra de Israel para o seu país. Também comprometeu-se a não mais oferecer sacrifícios a outros deuses, mas somente ao Senhor (cf. 2 Rs 5, 1-27).

Aqui cabe a pergunta: qual foi a maior cura de Naamã?

Certamente, naquela época a lepra era terrível, mas não foi esse o maior mal extirpado. Antes, foi a arrogância. Ele havia chegado "botando banca": "Diga para Eliseu que estou aqui e vou comprar seus serviços trazendo-lhe presentes." E ainda: "Na minha terra tem rios melhores." A cura da arrogância foi o grande feito, a ponto de o comandante se colocar na posição de servo e ficar feliz com um punhadinho de terra.

Quantas vezes nós também estamos cheios de arrogância ao fazermos nossos pedidos de cura!

A maior cura sempre vem de Deus e de "nós"

Tal como Naamã, talvez a cura do maior flagelo que atinge o mundo de hoje, a Covid-19, não seja a maior de que estamos necessitando. Quem sabe, antes de tudo, seja fundamental mudar essa nossa postura individualista e egocêntrica de acreditar que basta alcançarmos o nosso próprio bem para não precisarmos de mais nada nem de ninguém.

Podemos até louvar a Deus porque temos uma casa, acreditando sermos merecedores de tudo porque lutamos, trabalhamos e conquistamos. Mas nenhum direito à propriedade pode se sobrepor ao direito à vida, e esse quem nos dá é apenas e tão somente Deus. Para que tal consciência prevaleça, é necessário rejuvenescer o nosso espírito, restaurar a nossa relação com o Senhor — em suma, precisamos ser lavados e curados pelo Sangue de Jesus.

Nesse mesmo sentido, resgato aqui a parábola sobre o homem que fez uma grande colheita, mas, como não tinha onde guardar, pensou em derrubar seus celeiros para construir outros bem maiores. Com isso "eu vou ficar sossegado, poderei comer, beber e festejar", disse vislumbrando o próprio futuro garantido. Jesus, então, afirma que "hoje mesmo Deus cobrará tua vida", advertindo de que nada vale ao homem ganhar o mundo e perder a vida (cf. Lc 12, 16-21).

É possível inferir que se tratava de um homem infeliz. Não há menção a familiares nem amigos, o que permite deduzir tratar-se de alguém muito rico, porém solitário. Perceba que o grande erro dele não foi preparar-se para uma grande colheita, e sim agir de forma egoísta e presunçosa. Em nenhum momento pensou em repartir tamanho lucro com quem verdadeiramente necessitava. Em lugar da palavra "nós", personalizou todas as suas ações em torno do "eu".

Faço questão de ressalvar: Louvado Deus pelo emprego e o salário das pessoas. Que eles se multipliquem e prosperem, assim como todos os negócios, sejam eles pequenos, médios ou grandes. Contudo, o fermento do pão cresce para todos os lados; então, tal como ocorre com a nossa prosperidade, a nossa generosidade também tem de crescer.

Por intermédio do profeta Isaías, Deus explica que o jejum por Ele esperado não é aquele no qual passamos fome e ficamos encurvados, com a "cara amarrada", envoltos em xingamentos e discussões. O jejum que realmente agrada ao Criador é repartir a comida com os famintos, as vestes com os nus, a casa com os desabrigados, o dinheiro com os desamparados (cf. Is 58, 5-7).

Alguém pode estar se perguntando: "O que o jejum tem a ver com gestos de empatia e solidariedade?"

A resposta está no que Deus afirma em seguida: "Então, a luz da minha salvação brilhará como o sol, e logo vocês todos ficarão curados. O seu Salvador os guiará, e a presença do Senhor Deus os protegerá por todos os lados" (Is 58, 8).

Sim, todos ficarão curados. Mas o Senhor quer nos curar por completo, a começar pela cura do individualismo, da arrogância, das mesquinharias, do nosso ego inflamado. Só vamos estar realmente libertos e salvos do mal que aflige o mundo quando substituirmos o "eu..., eu..., eu..." pelo "nós..., nós..., nós...".

Agora pare e pense: como está a sua casa e a sua família?

É promessa do Senhor que nosso Salvador nos guiará e nos protegerá. Ele orientou-nos a construir sempre sobre a rocha firme. Contudo, muitas vezes construímos em um terreno arenoso, sem base sólida. A boa notícia é que, mesmo tendo construído castelos de vidro ou de areia, Deus pode agir para não deixá-los desmoronar.

Eis o grande milagre da cura!

Para rezar

Senhor Jesus das Santas Chagas,
Cura as minhas feridas.
Eu não quero ser seco e viver na aridez.
Eu estou doente, minha família está doente.
Tira a soberba, o egoísmo, a presunção do nosso coração.
Se permiti que o mal entrasse na minha casa,
Se abri as portas para o mal,
Vem curar-me, Senhor! Vem me libertar e salvar!
Derrama uma gota do Teu sangue precioso sobre mim.
Lava-me das feridas de que tenho consciência, bem como daquelas de que não tenho.
Que uma gota do Teu sangue recaia sobre a minha casa, resgatando os relacionamentos e nos purificando.
Amém.

CAPÍTULO 2

A CURA NÃO VEM APENAS PORQUE QUEREMOS

Muitas vezes temos tanto e, mesmo assim, não ficamos inteiramente satisfeitos. Há quem atribua esse descontentamento a uma insatisfação atávica que o ser humano carrega consigo. Onde quer que estejamos, não estamos bem. Por mais que conquistemos, nunca estamos saciados. Queremos sempre mais e mais...

A meu ver, essa é uma explicação por demais simplista, o que não deve de forma alguma ser confundido com a noção de simplicidade. A simplicidade remete ao que é descomplicado por natureza — e, no frigir dos ovos, "simples" é o que realmente importa. Quem dera fôssemos todos simples e humildes de coração como Jesus! Embora sendo Deus, Ele não considerou que o ser igual a Deus era algo a que devia apegar-se; mas esvaziou-se a si mesmo, vindo a ser servo, tornando-se semelhante aos homens (cf. Fl 2, 5-7).

O simplismo, por sua vez, consiste em enxergar a realidade segundo um único ponto de vista fechado em si, sem levar em conta outros aspectos. Existe, é claro, uma busca desenfreada pelo dinheiro e pela posse de bens materiais que é própria da sociedade em que vivemos. O que é demais nunca é o bastante. Mas não podemos deixar de perguntar: de que vale uma casa grande, toda mobiliada, porém vazia de afeto, compreensão e abraços?

Como todos sabem, sou muito musical, e não posso deixar de me lembrar do que diz o trecho da canção "Casinha branca":

Cada um tem seu mistério
Seu sofrer, sua ilusão
Eu queria ter na vida simplesmente
Um lugar de mato verde
Pra plantar e pra colher
Ter uma casinha branca de varanda
Um quintal e uma janela

A tal "casinha branca" simboliza o nosso desejo de voltar a ser a pessoa que fomos um dia, mais simples: com menos posses, talvez, porém mais felizes.

O Senhor pode nos resgatar

A esta altura, você já deve ter percebido que a felicidade não é uma busca, e sim uma restauração. Explico. Ela não é algo novo na existência do homem sobre a Terra, tampouco uma coisa inatingível, mas um estado que perdemos em algum momento da nossa jornada, precisamente aquele em que a raça humana se afastou de Deus. Até então tudo era de perfeita paz, felicidade e harmonia. Mas, pela desobediência entrou o pecado, o sofrimento e a morte. E nós herdamos essa tendência que endurece o coração, como diz São Paulo: "Por um homem entrou o pecado no mundo, e pelo pecado a morte, assim também a morte passou a todos os homens; por isso que todos pecaram" (Rm 5, 12).

Portanto, para voltarmos a ser felizes, temos de nos voltar para Deus e preencher a falta estrutural de Seu amor.

Eis o momento em que somos mais felizes, aquele em que estamos ao lado do Pai. "Feliz aquele que encontra segurança no Senhor!" (Sl 34, 8).

Voltemo-nos, pois, em pensamento e com o coração contrito, a esse momento e peçamos: "Resgata-me, Senhor!"

Jesus é o nosso Salvador. E a salvação engloba também a paz. Cristo é, portanto, a solução das crises, o médico que nos cura e salva em todas as frentes. Portanto, a ação de Jesus vai muito além da cura física: é a salvação! NEle se cumpre a profecia de Isaías: "Foi trespassado por causa das nossas transgressões, esmagado em virtude das nossas iniquidades. O castigo que havia de trazer-nos a paz caiu sobre ele, sim, por suas feridas fomos curados" (Is 53, 50).

Nos Evangelhos, durante toda a Sua vida pública, Ele aparece fazendo milagres e curando. Está na essência de Jesus Cristo curar. Diz a Instrução sobre as orações para alcançar de Deus a cura: "Suas relações com os doentes não são casuais, mas constantes. Cura a muitos deles de forma prodigiosa, tanto que essas curas milagrosas se tornam uma característica da

Sua atividade. As curas são sinais da sua missão messiânica." Cita ainda o documento: "Muitos doentes a ele se dirigem, ou diretamente ou através de seus amigos e parentes, implorando a recuperação da saúde. O Senhor acolhe esses pedidos, não se encontrando nos Evangelhos o mínimo aceno de reprovação dos mesmos. A única queixa do Senhor refere-se à eventual falta de fé: 'Se posso? Tudo é possível a quem acredita' (Mc 9, 23; cf. Mc 6, 5-6; Jo 4, 48)." Então, para que levantar a bandeira de desistência e jogar a toalha? Pelo contrário, devemos sempre acreditar que alcançaremos a cura.

Jesus nunca mediu esforços para cumprir Sua missão. Quantos "obstáculos" e "nãos" Ele ouviu de pessoas ácidas! No entanto, seguiu em frente, quebrando as normas impostas e desafiando autoridades, como no relato do Evangelho:

Aconteceu que, num dia de sábado, Jesus foi comer na casa de um dos chefes dos fariseus. E eles o observavam. Diante de Jesus, havia um hidrópico. Tomando a palavra, Jesus falou aos mestres da Lei e aos fariseus: "A Lei permite curar em dia de sábado ou não?" Mas eles ficaram em silêncio. Então, Jesus tomou o homem pela mão, curou-o e despediu-o. Depois lhes disse: "Se algum de vós tem um filho ou um boi que caiu num poço, não o tira logo, mesmo em dia de sábado?" E eles não foram capazes de responder a isso (Lc 14, 1-6).

Nessa ocasião, Nosso Senhor nos envia uma importante mensagem: a de que somos todos filhos de Deus. Na casa de um dos chefes dos fariseus, em pleno sábado, Ele olhou para aquele homem hidrópico (com barriga d'água), que deveria estar sofrendo muito, estendeu-lhe a mão e curou-o.

É exatamente dessa forma que Ele nos atende: está próximo de cada um de nós e nos pega pela mão. O Senhor está próximo dos que choram e padecem. Ele estende a mão e cura.

Jesus é simples e certeiro. No Evangelho, ao mencionar um boi, não está comparando Seus filhos a gado, e sim reforçando que todos são filhos de Deus, e por isso Ele fará o que for necessário para nos resgatar, seja no sábado, seja em qualquer outro dia. Deus não quer ninguém arrasado pela perda da dignidade, angustiado, deprimido, com pensamentos suicidas ou em qualquer outro estado deplorável. Cada um tem o seu "fundo do poço", e é por intermédio de Jesus que Deus nos estende a mão.

Que maravilha acreditar nisso, ter a certeza de que, se um dia estivermos caídos, Jesus nos estenderá a mão! Basta erguermos a mão e Ele nos pega. Não há fundo de poço que o Senhor não alcance. Isso não significa que não enfrentaremos obstáculos; afinal, além da tribulação em si, sempre aparece alguém querendo jogar um pouco de areia para nos enterrar logo. Mas Deus sempre age, e muitas vezes podemos contar com amigos e familiares para ajudar nesse resgate.

Em outra ocasião, ao curar um paralítico, Jesus disse: "Teus pecados estão perdoado." Isso quer dizer que Nosso Senhor pode entrar no mais íntimo do nosso ser e curar nossas paixões mais desordenadas. Ele é capaz de retornar ao momento da nossa concepção — muitos de nós temos problemas e traumas que remetem ao período em que fomos gestados — e nos curar.

Na verdade, o sofrimento coexiste com o ser humano desde que o pecado entrou no mundo. Na carta apostólica Salvifici Doloris, São João Paulo II faz uma reflexão profunda sobre o sentido do sofrimento humano. Trata-se de uma experiência humana inevitável: todos passamos por ela, e cada um de nós tem sua forma de encará-la, com o respectivo aprendizado. Na Cruz, o sofrimento adquiriu amplo significado e deixa de ser uma tribulação sem sentido. Não estamos sozinhos em nossas aflições, pois Jesus Cristo "aproximou-se do mundo do sofrimento humano, sobretudo pelo fato de ter ele próprio assumido sobre si este sofrimento" (Salvifici Doloris, 16).

Porém, todo tipo de sofrimento nos interpela. Para nossas dúvidas e incertezas, o Santo Papa esclarece que o sofrimento humano só pode ser compreendido a partir do sofrimento redentor de Jesus, e é da Cruz que nos vem a resposta, por meio do Seu próprio sofrimento (cf. Ibidem, 26).

Diante das dores físicas, psíquicas e morais, somos convidados a agir como o apóstolo Paulo: "Agora me alegro nos sofrimentos suportados por vós. Completo na minha carne o que falta às tribulações de Cristo pelo seu corpo, que é a Igreja" (Col 1, 24).

Nada falta à Paixão de Cristo, Seu sacrifício foi completo e alcançou a redenção de todos os pecados. Porém, em Seu imenso amor e misericórdia, concedeu-nos o Senhor que pudéssemos associar-nos ao Seu sofrimento redentor, como magnificamente reflete São João Paulo II: "O Redentor sofreu em lugar do homem e em favor do homem. Todo homem tem a sua participação na Redenção. E cada um dos homens é também chamado a participar daquele sofrimento, por meio do qual se realizou a Redenção; é chamado a participar daquele sofrimento por meio do qual foi redimido também todo o sofrimento humano. Realizando a Redenção mediante o sofrimento, Cristo elevou ao mesmo tempo o sofrimento humano ao nível da Redenção. Por isso, todos os homens, com o seu sofrimento, podem tornar-se participantes do sofrimento redentor de Cristo" (Salvifici doloris, 19). Adentrar o sentido salvífico do sofrimento é uma vivência de fé.

Deus quer nos curar por inteiro

Não há limites para a cura de Deus. Trata-se de uma graça recebida de forma atemporal: ontem, hoje e sempre. Ele nos cura no passado, no presente e no futuro. Além disso, o Pai não faz distinção entre corpo e alma: ou seja, cura por inteiro.

Somos livres porque Deus nos fez livres, mas esse é um direito condicionado, pois o mundo e as circunstâncias podem tolher a nossa liberdade. Na filosofia, em sentido amplo, liberdade refere-se à condição daquele que desfruta da capacidade de agir por si próprio, e vem também associada às faculdades de autodeterminação, independência, autonomia. No entanto, uma liberdade bem utilizada exige clareza de pensamento para tomar decisões e fazer escolhas certas.

Algumas perguntas se fazem necessárias aqui: será que realmente temos essa clareza? De que forma perdemos a liberdade vivenciada em nosso interior? O que nos aprisiona?

Por exemplo, uma pessoa alcoólatra tem liberdade para parar de beber, mas perdeu esse dom ao se tornar dependente. Não tem força de vontade nem controle sobre a própria vida, e logo não é mais livre. Pode até se autoenganar, porque vai aonde quer, mas está aprisionada pela bebida e perdeu a capacidade de decidir. É uma doença que precisa de cura e libertação.

Para sermos realmente livres, não podemos agir condicionados por carências de nenhuma espécie, pois assim seremos sempre escravos do desejo. Quem vive dessa forma também está aprisionado.

Como explicar o fato de pessoas bem-sucedidas, com altos cargos públicos e políticos, agirem de forma ilícita e prejudicar aqueles que não têm nada? Isso é muito recorrente em nosso país. Todos eles são livres para decidir; contudo não percebem que já se tornaram reféns de uma compulsão.

Não conhecer as próprias feridas é alimentá-las

Quantos de nós temos coragem de admitir que estamos doentes e precisamos urgentemente do Senhor para nos curar e libertar?

Todos temos nossas mazelas. Às vezes, sinto-me angustiado ao perceber que ainda padeço em razão das minhas fragilidades. "Meus Deus, nessa altura da vida eu ainda sou refém das minhas próprias misérias?!", é o pensamento que me vem à mente.

Não adianta simplesmente se entregar ao Pai; é preciso que estejamos no comando desse movimento. Ele quer nos salvar de todas as situações parasitárias que aprisionam a nossa vida, mas nós temos que permitir.

O Senhor cura e salva, mas o primeiro passo quem dá somos nós mesmos, reconhecendo: "Senhor, estou doente!"

Os casos mais difíceis são aqueles em que não há essa consciência. Conheço pessoas dedicadas na espiritualidade, mas que derrapam feio no quesito tolerância e respeito ao próximo. Por onde passam, acabam estragando a convivência com fofocas, intrigas e até pequenas sabotagens. São dominadas pela inveja e nem se dão conta disso. Também precisam de cura.

As feridas que não identificamos e, por isso, não tratamos são o principal combustível da tristeza enraizada que nada ameniza. E assim ela vai crescendo e proliferando, somatizando e afligindo.

Minha mãe faleceu em consequência de uma doença terrível, o Mal de Alzheimer. Na verdade, bem antes de esse quadro se manifestar, ela sofria com uma angústia que não sabia explicar. Quando isso se manifestou, a ciência ainda não dispunha de tantos tratamentos para os pacientes com transtornos de humor, como a depressão, e ela também não teve acesso a um pregador que a ajudasse, com Jesus, a realizar uma cura interior. Por isso, filho e filha, costumo dizer que, apesar dos males atuais, somos privilegiados por contarmos com os recursos da medicina moderna e, sobretudo, com inúmeros sacerdotes preparados para mostrar o quanto Jesus cura e salva. Basta deixarmos isso acontecer.

Com frequência me perguntam se recebemos o jugo hereditário. Para responder sobre isso, recorro a um texto do Evangelho: "Jesus ia caminhando quando viu um homem que tinha nascido cego. Os seus discípulos perguntaram: 'Mestre, por que este homem nasceu cego? Foi por causa dos pecados dele ou por causa dos pecados dos pais dele?' Jesus respondeu: 'Ele é cego, sim, mas não por causa dos pecados dele nem por causa dos pecados dos pais dele. É cego para que o poder de Deus se mostre nele'" (Jo 9, 1-3).

Aqui estamos diante de uma constatação tão inovadora quanto importante, uma verdadeira guinada no caminho da cura e salvação. O sofrimento não vem de Deus, porque Ele age na esfera do Seu amor, ou seja, não faz nada que Seu amor não permita. Portanto, Deus não é irascível nem vingativo, como muitos pregam. Ele é o Deus do impossível, sempre para o bem, não para o mal. Se estamos sofrendo hoje, não foi Ele

Quem o quis. O que pode fazer é permitir, sabendo que a palavra final será sua — e uma palavra de Bem.

Construa a viga de sustentação da sua vida

Ainda no âmbito da "herança", somos influenciados pela genética de nossos antepassados e podemos ter inclinações parecidas. Conheço um rapaz cujos parentes mais próximos — avô, pai e irmão — cometeram suicídio, e ele vive com a tentação de tirar a própria vida, mas tem resistido bravamente, amparado pela graça divina. Sim, porque, conforme já afirmei antes, Deus cura pela medicina psiquiátrica, também.

Quando somos atendidos em nossa primeira consulta no consultório médico, passamos por uma entrevista chamada de anamnese, na qual é feita uma série de perguntas para chegar ao diagnóstico. Além de pesquisar sobre nossos hábitos e sintomas, também são relevantes as doenças preexistentes no seio familiar. Por isso, como médico da alma, eu também procuro saber sobre situações e comportamentos de familiares diretamente relacionados à perda da fé e até mesmo à negação da doutrina cristã, como é o caso das práticas de curandeirismo e superstição.

Tal como uma construção, nossa vida precisa vir alicerçada por uma viga de sustentação para não desmoronarmos e seguirmos firmes na fé. Então, eu procuro avaliar justamente aquilo que está faltando para manter essa construção em pé. Em muitos casos, percebo que a pessoa praticamente regrediu ao estágio de um recém-nascido, cuja coluna vertebral ainda não tem a firmeza necessária para aguentar o peso dos músculos e ossos.

Em relação aos casais, por sua vez, eu pergunto: o que sustenta a sua união? Vocês se amam verdadeiramente?

Meu programa de rádio é uma verdadeira escola para mim, e me recordo de ter ficado muito tocado com a partilha de uma mulher que telefonou de um hospital pedindo orações para o marido. Com apenas 39 anos, ele havia se ferido gravemente ao mergulhar numa cachoeira e acabara ficando tetraplégico. Diante de uma fatalidade como essa, é inevitável fazermos um exercício de reflexão:

Se isso acontecer com o seu marido ou a sua esposa, existe uma estrutura forte o suficiente para lhe dar suporte a partir de então? Você está preparado(a) para fazer do seu amor a viga mestra dessa relação?

O mesmo vale para os casos em que a pessoa sofre um AVC ou um derrame repentinamente e perde a mobilidade, demandando todo tipo de cuidado: qual seria a viga de sustentação nessa hora tão desesperadora? Você está trabalhando para construí-la a tempo e utilizando os materiais corretos?

Na vida espiritual, também precisamos contar com um alicerce para sustentar a nossa casa interior, e nenhum é tão forte quanto uma viga forjada na oração, na Palavra de Deus e na verdade.

São Pio de Pietrelcina, a quem admiro demais, disse: "Aquele que não medita na Palavra de Deus é como a pessoa que sai de casa sem antes se olhar no espelho." Uma pessoa que não reza, não medita sobre a Palavra e não a põe em prática, é como uma construção de vidro: bela por fora, mas vulnerável em sua estrutura, prestes a ser quebrada na primeira instabilidade.

Por fim, um dos insumos mais importantes para termos uma estrutura espiritual sólida é a verdade. Não se trata apenas de dizer a verdade, mas de viver na verdade, e a Verdade que cura, liberta e salva é Jesus Cristo. Agora vem a parte mais difícil, que é ser verdadeiro consigo mesmo, com Deus e responder sem meias verdades:

Como está a estrutura da sua vida?

Qual é sua viga mestra?

O que está sustentando a sua casa interior?

Se sentiu necessidade de mais tempo para responder, não se aflija. Escrevi este livro justamente para ajudá-lo a fazer da verdade um imperativo na sua vida e alcançar a cura que tanto almeja.

Para rezar

Senhor Jesus das Santas Chagas,
Estende Tua mão e tira de lá quem está no fundo do poço,
As pessoas que estão na depressão, confusas e angustiadas.
Senhor, estende Tua mão
Para quem atravessa uma crise financeira,
Para quem está no desespero, perdendo seus bens,
Sem emprego, sem dignidade.
Senhor, na noite escura da fé,
Pega com a Tua mão e puxa para fora quem está pensando em suicídio.
Estende a Tua mão e tira da tristeza aqueles que choram,
Que estão no luto, na solidão, sentindo-se desamparados.
Resgata-os e cura-os, Senhor.
Amém.

CAPÍTULO 3

COMO PEDIR E SER ATENDIDO

Muitas vezes, a vida se converte em um emaranhado de situações, de confusões de interesses, de apegos, de medo de seguir determinada direção, de desejos contraditórios. Então ficamos prostrados e acreditamos que nosso caso não tem mais solução.

Outros se revoltam e questionam por que têm uma série de problemas — no matrimônio, no trabalho, na vida financeira, nos relacionamentos de amizade, nos estudos etc. —, enquanto há quem esteja por aí "livre, leve e solto".

Em primeiro lugar, temos de saber que "de perto" os problemas sempre são maiores, ou seja, não há quem não enfrente provações quando se trata da própria vida. Por outro lado, precisamos "combinar" que de uns tempos para cá as dificuldades que *todos* enfrentamos estão sensivelmente maiores.

Não concorda?

O que enfrentamos recentemente, e ainda estamos enfrentando, não é pouco! Uma pandemia global, com um contingente gigantesco de pessoas doentes e falecidas. Dizer que isso complicou e desestabilizou nossa já difícil passagem por este mundo é eufemismo. De todo modo, confiemos em que, com a graça de Deus, o pior já passou.

Mas, voltando ao assunto deste livro, creio que ninguém pode dizer que não precisa de cura. Onde buscá-la, porém?

Jesus é Aquele que cura. Portanto, para Ele, o sofrimento sempre é um mal. Ele tem o poder e quer tornar o ser humano equilibrado em todo o seu ser. Para Jesus, uma pessoa que se encontra desequilibrada em alguma área da sua vida necessita de cura.

Seja qual for a doença, Jesus não julga: Ele veio para curar.

Faça a "experiência de Deus"

Os antigos perceberam o poder curativo de Jesus. Mais que isso, as curas faziam parte da Sua missão. Ele veio para salvar e curar. Essas ações, os milagres, são sinais da autoridade de Nosso Senhor Jesus Cristo.

Aquele que é curado faz a "experiência de Deus". Para além da cura física, trata-se de um crescimento na fé. Ao nos curar, Jesus nos prepara para algo muito maior: a experiência da fé nEle.

Por isso, quando alguém me diz: "Meu filho foi curado! Ele é um milagre de Deus", eu pergunto: "E ele, sabe disso?"

Precisamos ter consciência de que nada acontece como milagre em nossa vida senão para nos edificar na fé. A presença e o milagre de Deus são, sem dúvida, a antecipação do Seu Reino.

Relembremos algumas das narrativas de cura presentes nos Evangelhos. Jesus curou quatro cegos, quatro paralíticos e um leproso. Depois, curou dez leprosos e fez cinco exorcismos. Curou a sogra de Pedro, a mulher com hemorragia, o surdo-mudo. Curou à distância a filha da Cananeia e o empregado do centurião romano. Já no início de sua agonia, no Horto das Oliveiras, curou a orelha do soldado, que Pedro havia cortado.

Perceba que, ao falar que a missão de Cristo é nos curar e salvar, empreguei o verbo ser no presente do indicativo, uma vez que Jesus está e continuará vivo, hoje e sempre! Então, a obra curadora de Jesus continua, não parou no tempo.

O Papa Emérito Bento XVI disse: "A Igreja continua a realizar no espaço e no tempo as curas de Jesus." Isso significa que, desde o tempo dos Apóstolos, nós seguimos dando prosseguimento à ação curativa e salvadora de Cristo por meio dos dons carismáticos do Espírito Santo, dos ministérios de cura, da imposição das mãos — movidas pela fé — e da graça de Deus.

Agora, pare e pense: se assim foi, é e será, por que a graça da cura não haveria de ser alcançada? Porventura, no caso da nossa família ou da pessoa pela qual estamos rezando, isso seria diferente?

Os milagres acontecem!

Entretanto, atentemos para algo muito importante: nenhum milagre foi feito por Jesus sem que a pessoa tivesse fé.

Eu citei, antes, a cura da lepra de Naamã a fim de reforçar que nem sempre nosso maior desequilíbrio diz respeito à saúde física. Muitas vezes, precisamos de cura e libertação de problemas de ordem moral e comportamental, bem como de situações que nos aprisionam e nos causam um mal-estar tão grande a ponto de se refletirem em nosso organismo.

Nesses casos, a enfermidade física é apenas a consequência, e precisamos buscar a cura da causa. Por exemplo, quando um equipamento começa a piscar, indicando superaquecimento ou curto-circuito, não temos de consertar o dispositivo de alerta, e sim aquilo que está causando a pane.

Saliento ainda que a cura não acontece se estamos agindo com arrogância — não apenas quando manifestamos soberba, mas também ao demonstrarmos excesso de autossuficiência, acreditando que somos capazes de resolver tudo sozinhos; em última instância, ao agirmos como se não precisássemos de Jesus e da graça de Deus.

Lembremo-nos de que, quando esteve em Nazaré, Jesus passou por uma experiência muito desagradável. Ele não morava mais na cidade e foi até lá para visitar Sua mãe e Seus familiares, porém foi assediado moralmente por pessoas na sinagoga, com comentários como: "Você? Nós te conhecemos... De onde vêm esses milagres? Você não é filho do carpinteiro?" Só faltou dizerem: "Você é um 'pé-rapado' de Nazaré, então de onde vêm esses milagres?"

O Evangelho relata que Jesus desabafou, dizendo que não era reconhecido em sua própria cidade e que não poderia fazer ali muitos milagres porque os corações daquelas pessoas estavam duros. Ele não encontrara fé entre eles (cf. Mt 13, 54-58).

Moral da história: se a cura não está ocorrendo em nossa vida, talvez seja porque não temos fé!

Peça sempre pela cura total

Se tudo vai mal e não há sinais de mudança ou transformação, não é por culpa de Deus. Provavelmente isso ocorre porque Jesus não está encontrando em nosso coração algo fundamental.

A esta altura, você já compreende que a fé é uma das principais vigas de sustentação da nossa vida. Podemos pedir, clamar, implorar de joelhos a graça do Senhor; mas, se esse pedido não vier acompanhado da renúncia de tudo aquilo que aprisiona o nosso espírito, nada acontece.

Antes de mais nada, precisamos entender que a cura feita pelo Senhor em nossa vida vai muito além da parte física. Parece óbvio, mas não é. Sempre citamos que um dos maiores milagres de Jesus foi reviver Lázaro, mas pouca atenção damos ao fato de que, depois de um tempo, ele morreu novamente.

Isso significa que a cura não foi bem-sucedida?

De modo algum! Afinal, nossa natureza humana é efêmera, ou seja, cedo ou tarde chega um dia em que o organismo "pifa" e todos vamos morrer. Trata-se de uma contingência humana, e não há como fugir disso.

Quem está sofrendo pode clamar pela cura, pois esse dom diz respeito ao cessar do sofrimento, seja ele físico ou mental, e nesse sentido a morte pode ser a maior das curas. Sobretudo porque revivemos para a eternidade, quando estaremos firmes no Senhor. "Pois esta é a vontade do meu Pai: que toda pessoa que vê o Filho e nEle crê tenha a vida eterna. E eu ressuscitarei no último dia" (Jo 6, 40).

Portanto, peçamos sempre pela cura total. Muitos rezam, mas poucos têm ciência do que estão fazendo. Evidentemente, Jesus sabia rezar e era atendido pelo Pai. Na cura de Lázaro, olhou para cima e disse: "Pai, eu te agradeço, porque me ouviste. Eu sei que sempre me ouves, mas disse isso por causa do povo que está aqui, para que creia que tu me enviaste." Em seguida, ordenou: "Lázaro, venha para fora!", e o homem foi (cf. Jo 11, 41-44).

Jesus rezava e tudo acontecia. Mas vale recordar que Ele próprio chegou a enfrentar uma situação muito difícil, quando desabafou: "A minha alma está numa tristeza mortal." E rezou: "Abá, Pai, se for possível, afasta de mim esse cálice! Contudo, não se faça o que eu quero, mas o que tu queres" (Mc 14, 34.36).

Deus escutou o clamor de Jesus. Não O livrou da Cruz, mas esteve com Ele; não O abandonou e deu-Lhe a força necessária para enfrentar todo o sofrimento. A oração de Jesus foi atendida pelo Pai quando O ressuscitou.

É exatamente esse viés que nossas orações devem conter:

Senhor, eu Te peço esta graça.
Se queres, podes me curar, mas seja feita a Tua vontade.

De sua parte, a Igreja é depositária da cura e dá continuidade à ação curativa de Nosso Senhor. Somos uma religião dos milagres!

Temos, por exemplo, os santos que intercedem por nós. Para uma pessoa ser declarada santa, há um caminho extenso a ser percorrido. Primeiramente, é elevada a "serva de Deus"; depois, a "bem-aventurada", para o que um dos principais requisitos é a ocorrência de um milagre pela intercessão do candidato. Isso é tão sério e a Igreja é tão criteriosa que, para ser declarado milagre, é preciso existir comprovação científica.

Há pessoas que dizem não acreditar em milagres, mas eles acontecem. Sobre isso, vale a pena citar uma graça que fez parte do processo de canonização de São Pio de Pietrelcina, em 2002, e outra fundamental para o então Papa João Paulo II ser canonizado em 2014.

Em 2000, na cidade de San Giovanni Rotondo, na Itália, um menino chamado Matteo Colella foi diagnosticado com meningite e desenganado pelos médicos. A mãe rezava para Jesus e pedia a intercessão do Padre Pio. Ela chegou a rezar diante dos restos mortais do santo. Repentinamente, Matteo reagiu e contou sobre um sonho em que Padre Pio e os anjos apareceram para ele. Matteo estava curado e sem sequelas. A comissão médica ligada à Congregação para as Causas dos Santos examinou o arquivo médico da criança e concluiu que a cura súbita de um estado tão grave e mortal não poderia ser "cientificamente explicada". A comissão de teólogos estabeleceu que a graça ocorreu mediante a invocação de Padre Pio, abrindo caminho para a sua canonização. A cura foi reconhecida como autêntica e considerada um verdadeiro milagre.

Anos depois, o então Papa João Paulo II, que havia canonizado Padre Pio, também era candidato a santo, e um dos milagres que levou a esse reconhecimento ocorreu com uma mulher da Costa Rica chamada Floribeth Mora Diaz. Portadora de um aneurisma cerebral que os médicos reportaram ser impossível de operar, foi completamente desenganada, restando-lhe apenas esperar pela morte. No entanto, certo dia recebeu uma revista com a foto de São João Paulo II na capa. Nesse momento, ouviu a voz do Santo Padre dizendo para ela se levantar e percebeu que sua mão a tocava de maneira afetuosa. "Eu senti um bem-estar dentro de mim e, daquele dia em diante, fiquei completamente curada", relatou ela. Quando Floribeth voltou ao especialista, a constatação foi surpreendente: o Médico dos médicos havia operado a mulher pela intercessão de São João Paulo II, e ela estava milagrosamente curada!

Quem a curou foi o Médico dos médicos, pela intercessão de São João Paulo II.

Menciono esses milagres para reforçar que cada um de nós tem um lugar garantido no plano de cura de Deus. Mas temos de honrar esse lugar e fazer por merecer. Não podemos titubear ou agir de forma dúbia porque não temos esse direito. Somos da Igreja Católica Apostólica Romana, a quem Nosso Senhor confiou a missão de conduzir um rebanho sadio, curado, restaurado pelo Seu Preciosíssimo Sangue.

Nosso Senhor olhou para nós e Se compadeceu. Ter compaixão é pegar um pedaço do coração, entregar a quem sofre e dizer: "Toma, eu sou o teu pastor." Diga, pois:

Senhor Jesus, sou do Teu rebanho.
Sou cristão, faço parte dessa Igreja de milagres.
Não quero ser uma ovelha doente.
Cura-me senhor!

Aproveito para relatar outro milagre que ocorreu no Brasil, pela intercessão de Irmã Dulce, a Santa dos Pobres, na cidade de Itabaiana, em Sergipe.

Segundo registros utilizados no seu processo de beatificação, concluída em 2011, uma mulher sergipana chamada Cláudia Cristiane dos Santos deu à luz o segundo filho em uma maternidade dirigida por freiras da mesma congregação de Irmã Dulce. Não havia ali Unidade de Terapia Intensiva (UTI). Logo após o parto, Cláudia apresentou um quadro gravíssimo de hemorragia. Nos relatórios, os médicos afirmam que as possibilidades de tratamento se esgotaram ao longo das 28 horas em que a paciente foi submetida a três cirurgias. Então, o Padre José A. de Menezes, que era devoto de Irmã Dulce, pediu que ela intercedesse pela saúde da paciente. Ele solicitou que uma imagem da religiosa fosse levada até a maternidade, e durante as orações a hemorragia cessou.

No processo de investigação, o caso foi analisado por dez médicos brasileiros e seis italianos, e nenhum deles encontrou explicação científica para a sobrevivência e a recuperação tão rápida da paciente.

Por outro lado, volto a enfatizar que, embora possamos de fato alcançar a cura física, esta não é a mais importante.

Não existe cura real, plena, onde há pecado. Portanto, o principal remédio para a cura é o perdão dos pecados.

Derrubemos as muralhas que nos impedem de amar

De acordo com as Sagradas Escrituras, Jesus operou milagres na vida dos excluídos e párias da sociedade. Hoje em dia, certamente esse grupo seria marginalizado e até tachado de "gangue". Faziam parte da turma que seguia Jesus moradores de rua, miseráveis, deficientes, leprosos, prostitutas e ladrões.

É interessante observarmos de que modo nos identificam como discípulos dEle. Pela condição social? Por um crucifixo que carregamos no pescoço? Por pagarmos o dízimo?

Não!

Somos discípulos quando nos irmanamos única e exclusivamente pelo amor.

Jesus disse: "Eu lhes dou este novo Mandamento: amem uns aos outros. Assim como eu os amei, amem também uns aos outros. Se tiverem amor uns pelos outros, todos saberão que vocês são meus discípulos" (Jo 13, 34-35).

Aqui tocamos em um problema sério: a nossa incapacidade de amar a Deus, ao próximo e a nós mesmos. Isso é condição *sine qua non*, ou seja, indispensável. É a virtude que nos faz discípulos.

Então por que não conseguimos amar? Quais são os entraves que nos impedem?

Entendamos que não se trata daquele amor "açucarado", retórico, demonstrado com palavras e atitudes "fofinhas". Refiro-me à capacidade de amar aqueles que nos ofenderam, nos machucaram e de quem não gostamos. Amar a ponto de perdoar e seguir em frente. De fazer o bem sem esperar nada em troca. De amar-nos mesmo com nossas fraquezas. Apenas amar...

Sendo assim, a primeira e verdadeira cura de que necessitamos é a restauração da nossa capacidade de amar.

Já ouvi desculpas como esta: "Padre, eu não consigo. Se alguém fizer um desaforo para mim, morreu, acabou."

Reflitamos juntos sobre isso.

Amar não é uma opção, e sim um mandamento. Então por que não o praticamos? A resposta pode ser vislumbrada a partir desta explicação de Jesus: "É do coração que vêm os maus pensamentos..." (Mc 7, 21).

Somos incapazes de amar não por causa do Demônio, que age externamente, mas porque o nosso coração está sujo, endurecido.

Quem não perdoa acaba desenvolvendo doenças físicas e espirituais. Não sou eu quem está dando esse diagnóstico, mas o Evangelho. Se somos pessoas rancorosas e vingativas, se ficamos remoendo nossas mágoas, adoecemos. O mesmo fim experimentam aqueles que padecem de visão distorcida sobre pessoas e fatos. Se ganhamos uma rosa e prestamos mais atenção aos espinhos — ou, sendo mais direto, se recebemos um carinho e já desconfiamos —, o mal se instala de mala e cuia dentro de nós. O problema não está nos outros, mas em nosso interior. Vale repetir: "É do coração que vêm os maus pensamentos..."

Deste modo, se sabemos que o problema está em nosso coração, é hora de enfrentá-lo à luz da verdade e da fé. Acredito que precisamos de proteção não apenas contra os males do mundo, mas também, e sobretudo, para não nos tornarmos prisioneiros de um coração envenenado. Eis a maior muralha que precisamos derrubar.

A cura interior não ocorre de uma hora para outra, pois trata-se de um processo. Curar as feridas da alma, as más recordações e os traumas que carregamos exige paciência e perseverança.

Outra muralha que nos impede de amar é o individualismo excessivo, como se nada mais importasse nem ninguém.

Uma pergunta que serve como termômetro para isso é: quem de nós realmente já parou para pensar sobre como as outras pessoas nos veem?

Não estou me referindo a dar ouvido a fofocas ou opiniões maldosas. Pergunto, antes, o que de fato pensam de nós aquelas pessoas próximas que nos amam. Confiam em nós? Partilham problemas e buscam conselhos? Ou não nos acham com equilíbrio suficiente para isso? Referem-se a nós como pessoas estressadas? Dentro de casa, com a família, somos carinhosos, pacientes, mansos? Ou somos intolerantes e indiferentes?

É muito valioso termos discernimento sobre como as pessoas próximas nos veem, pois elas são um espelho muito mais fidedigno que aqueles utilizados para darmos um "tapa no visual".

Muitos costumam bater no peito e decretar: "A opinião dos outros a meu respeito não me interessa!" Alto lá! Não se trata de concordar com tudo o que dizem e pensam a nosso respeito. Longe disso. Mas esse certamente é o ponto de partida para questionarmos: por que nos veem assim?

Todos sabemos o que é certo e desejamos agir de maneira correta, mas muitas vezes fazemos tudo ao contrário. Esse tipo de distorção é muito comum, e o olhar de quem está de fora pode ser muito revelador.

O apóstolo Paulo, tão eficiente na evangelização, também passou por situações de profundo questionamento sobre a sua conduta. Ele desabafou: "Eu não entendo o que faço, pois não faço o que gostaria de fazer. Quando quero fazer o que é bom, só consigo fazer o que é mau" (cf. Rm 7, 14-22). Paulo precisava de cura interior.

Necessitamos de coragem para nos questionarmos: por que, mesmo sabendo o bem que quero fazer, sou uma pessoa com quem os outros têm dificuldade de lidar? Por que, se alguém "pisa no meu calo", passo dias remoendo isso e, se puder, me afasto dele? Por que, quando me prejudicam financeiramente, fico transtornado? Por que, na minha vida sentimental, não consigo ter paz? Sei o que quero, mas não consigo ser uma pessoa caridosa. Tenho pouca coisa, mas sou muito apegado ao pouco que tenho!

Este é o primeiro passo da cura interior: autoconhecer-se, sondar as próprias entranhas, buscar a saúde interior por meio de Jesus, identificar o que atrapalha a comunhão com Deus e a nossa santidade.

Todos precisamos dessa cura, mas, para que ela ocorra, é fundamental o acolhimento das próprias fragilidades e fraquezas. É preciso desmontar-se diante de Deus.

A grande vantagem está em que Jesus não é um simples curandeiro, mas o grande Curador. Sabe a doença que temos, e a Sua cura é total: física e espiritual. Ele cura e salva!

Para rezar

Senhor, olha para mim:
Preciso de uma cura na minha capacidade de amar.
Senhor, revela-me minhas lembranças mais escondidas, mais dolorosas, para que eu entenda por que sou assim hoje.
Mostra-me, Senhor: por que minha vida financeira não deslancha?
Por que não estou equilibrado?
Senhor, por que tenho o suficiente e o necessário, mas ainda quero mais? Por que minha vida sentimental está um desastre?
Por que vivo triste?
Por que estou fracassando em meu crescimento espiritual?
Senhor, tenho uma imagem errada de quem sou.
Revela-me, Senhor!

Quero me conhecer e aceitar minhas fraquezas.
Preciso curar minhas feridas internas, ocultas.
Sei que essas feridas influenciam negativamente a vida que ainda tenho pela frente.
Preciso e quero que o Senhor vá comigo na raiz de tudo e desperte minha fé na cura.
Opera, Senhor, a cura espiritual de que tanto necessito.
Senhor Jesus, és meu Médico,
És meu Deus e meu Salvador, ontem, hoje e sempre.
Amém.

CAPÍTULO 4

TRANSFORMAR PARA CURAR

Todos somos filhos de Deus, mas, muitas vezes, nós nos comportamos como a Serpente do Paraíso. Refiro-me, por exemplo, aos artifícios de engodo dos quais lançamos mão com muita facilidade para tentar esconder nossos verdadeiros sentimentos e intenções.

Sim, podemos enganar certas pessoas, aqueles que convivem conosco, familiares, amigos e até a nós mesmos. Mas ninguém consegue enganar a Deus.

Pare de se enganar

Existem artifícios aos quais recorremos com muita frequência nessa tentativa permanente de engodo. Um deles é a negação. Acontece alguma coisa e imediatamente recorremos ao "não": "Não fui eu. Não é comigo." Negamos na "cara dura". Mentimos para não nos responsabilizarmos por um equívoco, ainda que se trate de algo corriqueiro, porque não queremos ficar na berlinda e ser alvo de críticas e acusações.

Esse é o tipo clássico de negação, muito comum na vida pessoal, no trabalho e na escola, quando alguém comete algum deslize, mas ninguém assume.

Mas há outros tipos de negação, bem mais sutis e complexos. O que me ocorre agora é aquela saída clássica pela tangente: "Não sei do que você está falando." Muito comum entre os casais, sempre vem à tona quando não queremos enfrentar um problema ou conversar sobre a sua existência.

Um forte indício dessa "negação *soft*" se dá quando um dos parceiros fica emburrado para não dar chance de o outro entrar no assunto proibido. Eu gosto muito de observar as pessoas e já percebi que, na maioria das vezes, "fechar a cara", como se diz, é uma estratégia para não precisar se explicar. Partir para a briga, por sua vez, também é um recurso utilizado por quem não tem justificativa. Quanto mais uma pessoa grita dentro de casa, menos razão ela tem. Como carece de argumentos, não quer dialogar sobre o assunto e vai levantando a voz para obstruir a manifestação alheia.

Outra forma de negação, e uma das mais perigosas, é aquela em que não admitimos que guardamos mágoas e ressentimentos. Perdoamos da boca para fora, mas nos afastamos e seguimos remoendo. Nesse mecanismo perverso, tentamos esconder o que sentimos. Camuflamos e construímos muralhas em volta dos nossos sentimentos, para que ninguém perceba nosso sofrimento. Com o tempo, tornamo-nos pessoas insensíveis, duronas. É justamente quando mais precisamos de cura.

Além da negação, podemos citar outro artifício ainda mais sofisticado, ao qual dou o nome de justificação. Está presente sempre que procuramos motivos para justificar nossos erros. Em vez de simplesmente os assumirmos com um "Eu errei", recorremos ao manjado: "Fiz assim porque aprendi assim!"

Não!

Você fez porque de alguma forma se identificou com aquele discurso ou comportamento. O erro é apenas de quem ensinou? Cada um tem a sua parcela de responsabilidade.

São indícios fortes de que estamos presos no terreno da justificação quando emitimos comentários como: "Se você não provocasse, eu não teria falado", "Você tinha de tocar nesse assunto! Agora escuta!". Há pessoas que se tornam especialistas em ter justificativa para tudo e já trazem as respostas "na ponta da língua".

No meu caso, procuro me cuidar para não fazer observações de pronto. Quando atendo algum ouvinte, peço a luz e o discernimento do Espírito Santo antes de responder. Resposta pronta é resposta decorada, não pensada, não refletida.

Grosso modo, há duas razões básicas para recorrermos ao artifício da justificação: uma é a que criamos para nos justificar e a outra é a verdadeira. Sempre digo que nós criamos nossas necessidades e, junto com elas, as justificativas para o nosso comportamento, especialmente no que diz respeito ao que fazemos ou deixamos de fazer pelo próximo.

Durante uma peregrinação, quando estive na minúscula capela chamada Porciúncula, perto de Assis, na Itália, notei uma imagem de São Francisco que, numa primeira olhada, achei feia. Mas, curioso como sou, perguntei para um e para outro o significado daquela imagem toda "desengonçada". Então tomei conhecimento de que se tratava de uma alusão ao lado menos edificante do santo que precisou de cura, pois, mesmo quando já estava convertido, continuava sentindo asco de pessoas leprosas e as evitava. Até que, um dia, algo inesperado aconteceu. Vinha Francisco em seu cavalo e, ao avistar um leproso no meio do caminho, tentou passar reto e fugir. Contudo, durante uma repentina troca de olhares, São Francisco viu Jesus naquele homem deformado pela lepra. Nesse momento, ele desceu do cavalo, ajoelhou-se, lavou as feridas do leproso e as beijou. Depois, ajudou-o a subir no cavalo, levando-o para ser acomodado e assistido. Assim começou o primeiro leprosário fundado por São Francisco de Assis.

Moral da história: negar e justificar são apenas artifícios para escamotearmos as nossas mazelas interiores, mas elas sempre se revelarão no meio do caminho, até que as encaremos e resolvamos cuidar verdadeiramente delas.

Desça do seu cavalo

É para nós que o Senhor diz: "Desce do seu cavalo. Vai lá, limpa as feridas da pessoa que o frustrou, da pessoa que não esperava que fizesse algo contra você."

Posso afirmar com conhecimento de causa que, quando a lambada vem de uma pessoa "chegada", dói demais. Eu não ligo que falem mal de mim, porque falam mesmo, mas, quando se trata de uma pessoa próxima, fere muito. A dor é diretamente proporcional à importância que o algoz tem em nossas vidas.

É nessa hora que o Senhor me diz:

"Desce do cavalo, Padre, chega mais perto dessa pessoa para limpar e beijar suas feridas."

Agora reflita e me responda:

"Qual é a doença purulenta de alguém da sua família que você precisa tratar?"

Relembro que não estou me referindo a nenhuma doença física.

O "purulento" pode ser um alcoolista, porque só quem passa por essa doença sabe quanto sofrimento traz para si e para a família; o mesmo com uma pessoa drogada, que vai se desfigurando cada vez mais. Quem está de fora tende a "apontar o dedo" em tom acusativo, mas não compreende de fato a cruel situação em que esses doentes se encontram.

A verdade é que enfermos assim são os purulentos que, como São Francisco, somos chamados a assistir. Isso faz parte do processo de cura. Ao descermos do cavalo e irmos ao encontro do nosso desafeto, estamos saindo da posição de defesa e ataque e demolindo a trincheira que nos mantém afastados.

O passo seguinte, e o mais difícil, é trazermos esse desafeto para junto de nós, agindo como dois combatentes que estão no mesmo barco. O terceiro estágio, por sua vez, o mais evoluído de todos, consiste em fazer da nossa casa a sua casa e nos orgulharmos de cada vitória que aquela pessoa conquistar. Isso é agir com verdade e fé.

Temos sempre de procurar a razão verdadeira dos nossos sofrimentos interiores e das nossas atitudes, e não ficar negando ou procurando todo tipo de justificativa. Quando buscamos justificativas, no fundo estamos criando desculpas para não encontrarmos a verdade, e sem a verdade não seremos jamais curados por Jesus.

Livrar-se dos gatilhos não elimina os problemas

Vamos adentrar agora o terreno mais movediço e perigoso quando se trata dos artifícios que criamos para escamotear nossas mazelas. Faço questão de ressaltar que não sou psicólogo, e sim um padre; por isso, estou abordando essas situações pela perspectiva da espiritualidade.

Refiro-me ao mecanismo da projeção. Em algum momento, você já deve ter ouvido dizer que todos nós, em maior ou menor grau, projetamos nos outros nossas frustrações e até nossos defeitos.

Por exemplo, a pessoa que não se dá bem com um colega de trabalho e reclama que ele ou ela não faz nada certo. Se mudam esse colega, o que vem no seu lugar também nunca tem desempenho satisfatório. Uma nova tentativa é feita, e a reclamação continua. Só essa pessoa está certa. Os demais estão errados.

Reflitamos: será que o problema realmente está nos outros? Se todas as pessoas que nos incomodam desaparecessem por encanto, nossos problemas deixariam de existir? O outro é o problema ou ele apenas é um gatilho que desencadeia esse problema? Quantos gatilhos podem existir sem nos darmos conta até que um problema se manifeste?

Veja que não estou negando a existência do problema, mas tentando rastrear onde está o nó da corda para desfazê-lo.

Se não eliminamos o problema, outros gatilhos certamente virão. E isso impede que o Senhor cure — não porque Ele não possa, mas pelo fato de estarmos escamoteando a verdadeira mazela. Achamos sempre alguém para culpar e, muitas vezes, culpamos até mesmo Deus.

Infelizmente, fazemos parte de uma geração de cristãos que se habituou a colocar a culpa das próprias mazelas em Deus. Precisamos de uma espiritualidade reconciliadora com Ele e, sobretudo, autocorretiva.

Cabe a nós fazermos uma reflexão sobre como nos enxergamos em relação ao nosso interior: realmente admitimos que precisamos de cura?

O pior doente é aquele que acha que não precisa ser curado. Essa confusão, motivada pelos mecanismos de negação, justificação e projeção que mencionei, faz com que nos tornemos reféns dos nossos conflitos internos.

Não vou fingir que sou um padre santo e imaculado. Da mesma forma, não vou mentir dizendo que não tenho defeitos. Eu erro, sim, mas tento, com todas as minhas forças e, principalmente, com a graça de Deus, ser um padre santo. "Portanto, sede santos, assim como vosso Pai celeste é santo" (Mt 5, 48).

Fazer a coisa certa é o que nos liberta e cura

Se pararmos para observar, é muito mais difícil mentir do que falar a verdade, uma vez que é preciso forjar narrativas com coesão e coerência, como quem desenvolve uma obra ficcional. Tal como um romancista, o mentiroso precisa de uma memória exímia, porque tem de se lembrar de todos os detalhes da história falsa para dar andamento a ela e não cair em contradição.

Contudo, o medo de nos apresentarmos diante do outro e de Deus sem máscaras e subterfúgios, exatamente como nós somos, com a cara e a coragem, assusta e nos faz optar pelo caminho mais tortuoso. Somos capazes de acionar toda a nossa criatividade para esconder e enganar, em vez de simplesmente dizer: "Eu errei, mas, do mesmo jeito que errei, quero me corrigir. Você consegue me perdoar?"

Entre os casais, o que mais vemos é marido mentindo para mulher e vice-versa. Nas famílias, filhos mentem para pai e mãe e crescem vendo os seus progenitores fazendo o mesmo com eles. É carne agindo contra a própria carne.

No ambiente de trabalho, por sua vez, nada é mais libertador do que admitir ter esquecido de fazer algo e pedir ajuda para resolver o problema. Mas, em geral, o que vemos é justamente o oposto: ninguém assume os próprios erros, e o culpado é sempre o outro.

A cura se inicia sempre com a prática da verdade em todas as situações, sejam elas simples ou complexas. Fazer o certo nem sempre agrada a todos; muitas vezes temos que nos indispor contra o mundo inteiro. Daí a importância da humildade. Não se trata de saber tudo, mas de assimilar como nossa segunda natureza uma vida virtuosa. "Finalmente, irmãos, ocupem-se com tudo o que é verdadeiro, nobre, justo, puro, amável, honroso, virtuoso, ou que de algum modo mereça louvor" (Fl 4, 8).

Isso é muito importante porque, quando decidimos agir de forma errada, ficamos cada vez mais doentes interiormente.

Faz parte do processo de cura admitir os fracassos, reconhecer que estamos feridos e que também ferimos os outros e, acima de tudo, ter absoluta disposição para deixar que Nosso Senhor nos cure.

Lembremos a Parábola do Bom Samaritano. Jesus relata que um homem tinha sido ferido por assaltantes e fora abandonado no chão à própria sorte. Passaram por ele um sacerdote e um integrante da tribo dos levitas, que não deram bola.

O Bom Samaritano, porém, se compadeceu, debruçou-se sobre o homem, enfaixou suas feridas, preparou-lhe um unguento com vinho e óleo e depois o levou a uma hospedaria. O Bom Samaritano deu o dinheiro que tinha para pagar a hospedagem do homem e ainda prometeu acertar na volta o que fosse gasto a mais (cf. Lc 10, 30-35).

Ao tomarmos conhecimento dessa parábola, ficamos felizes com a possibilidade de ocuparmos o lugar do "socorrido". Mas e se tivermos de ser o Bom Samaritano, prestando todo tipo de assistência a alguém?

Lembremos que o Bom Samaritano prometeu até mesmo um dinheiro a mais, empenhando a própria palavra. Será que estamos dispostos a parar nossa vida para nos dedicarmos a ajudar alguém, mesmo quando isso implica gastar a preciosa combinação "tempo e dinheiro"?

Infelizmente, na imensa maioria dos casos a resposta é negativa.

É preciso transformar para curar

Se não temos a capacidade de amar, então precisamos de cura interior. É bem verdade que Nosso Senhor usou a parábola para ilustrar uma situação difícil de tempos muito remotos, mas, se pararmos para analisar, ela se ajusta perfeitamente à nossa realidade atual, não é mesmo?

A violência é uma das maiores mazelas da nossa sociedade. A solidariedade, felizmente, também é algo que vemos hoje, porém de forma menos recorrente. Somos consumistas, competitivos e profundamente individualistas, o que se acentuou ainda mais com o advento das novas tecnologias. Todos estão conectados, mas cada um na sua própria cápsula de prazeres e angústias. O mundo hoje é uma grande conexão de solidões. Não sabemos cultivar relacionamentos duradouros. Somos ases em fechar bons negócios, mas, quando se trata de amizade e amor, deixamos muito a desejar. Precisamos, mais do que nunca, passar pela transformação que fará surgir o homem novo. Como escreve São Paulo aos Coríntios: "Vocês devem deixar de viver como viviam antes, como homem velho que se corrompe com paixões enganadoras. É preciso que se renovem pela transformação espiritual da inteligência e se revistam do homem novo, criado segundo Deus na justiça e na santidade que vem da verdade" (Ef 4, 22-24).

Quando alguém doente ou com algum problema sério se aproxima de nós, na igreja ou em casa, não é hora de tirar do bolso um questionário de perguntas. Uma pessoa ferida precisa de acolhimento e cuidados.

Nós vivemos em uma sociedade violenta, seja ela explícita ou legitimada pela competição estimulada em que um engole ou está sempre pronto para engolir o outro, e isso nos faz viver em estado de desconfiança permanente. Achamos que todos estão se aproveitando de nós, assim como nós nos aproveitamos dos outros.

Não estou dizendo que devamos fechar os olhos e agir como inocentes úteis. Observar, sim; julgar, jamais. Agimos de forma cruel quando colocamos os nossos "porquês" na frente de uma emergência. A pessoa está "ferida", então cuidemos primeiro dos seus machucados. Por exemplo, se um filho volta para casa ferido, machucado por ter se envolvido com drogas, é dever dos pais recebê-lo e prestar toda assistência, para depois conversar sobre o que ele está fazendo.

Essa é a pedagogia do amor que Deus pratica com todos os Seus filhos. Quando chegamos feridos perto do Nosso Pai, Ele simplesmente nos diz: "Vem, eu te acolho." Ele nos acolhe como ao filho pródigo, que estava no meio dos porcos comendo lavagem, queria voltar para a casa do pai e ficou inventando desculpas para ser recebido. Chegou com o discurso na ponta da língua, mas o pai misericordioso o desmontou. Não perguntou nada, mas apenas disse: "Vem, meu filho, eu enfaixo tuas feridas e as curo. Meu filho que estava perdido voltou." O pai acolheu, alegrou-se e festejou com aquele filho (cf. Lc 15, 10-32).

Deus age exatamente dessa maneira conosco. Recorremos a uma série de artifícios — negamos, justificamos ou projetamos —, mas Deus não se deixa levar por essa encenação e vai direto ao ponto: "Eu não quero saber. Se você está arrependido, eu o perdoo e curo."

Como já mencionei, o ser humano está se tornando cada vez mais individualista, a ponto de muitos jovens não quererem se casar porque "dá trabalho". Ora, dá sim! Ter filhos dá trabalho, educar dá trabalho, amizade dá trabalho, exige compromisso, enquanto nós nos esforçamos mais em sermos competitivos do que comprometidos!

Somos frutos dessa competitividade e ajudamos a perpetuá-la. Enquanto produzimos, valemos alguma coisa, mas e depois? Quando não formos mais úteis aos interesses alheios, o que será de nós?

Em todos os lugares, no supermercado, nos hospitais, nos restaurantes, e também dentro da nossa casa e da nossa vida, nós selecionamos as pessoas com base no que elas ostentam ou têm. Vivemos na era do descartável, e não me refiro apenas a embalagens e produtos, mas também a pessoas, sentimentos, compromissos e responsabilidades.

Há um texto no Livro do Apocalipse que afirma: "Eis que estou à porta e bato: se alguém ouvir a minha voz e me abrir a porta, entrarei em sua casa e cearemos, eu com ele e ele comigo" (Ap 3, 20). Eu complemento dizendo que o Senhor está constantemente batendo em nossa porta e pedindo para deixá-Lo entrar.

As portas de nossas casas costumam ter muitos trincos e chaves, e reconheço a importância desse cuidado, mas não podemos mantê-las fechadas o tempo todo. O mesmo vale para as portas das nossas vidas. Para certas coisas, devemos manter a porta fechada; para outras, temos de abri-la; caso contrário, mofaremos solitários e cercados por muros dentro do nosso mundo.

José e Maria, com o Menino Jesus em seu ventre, bateram em muitas portas em Belém e, segundo o texto de Lucas, não foram acomodados nem mesmo na hospedaria. Agora, use de toda a sua sinceridade para responder.

Se tocassem a sua campainha com o mesmo pedido, o que você faria?

Pois eu garanto que Jesus já fez todos os *ding-dongs* possíveis e imagináveis para ser recebido em sua casa. Você lhe abriu a porta? Quando o foram convidar para ir à Missa, ser catequista, ajudar uma instituição, qual foi a sua atitude?

Abramos, pois, as nossas portas para o Senhor e deixemos a Sua graça entrar!

Deus pode curar e transformar as nossas vidas. Mas temos de tomar decisões acertadas sobre as portas que vamos abrir ou fechar como cristãos.

Para reforçar esse aprendizado valioso, escreva, sucintamente, nas linhas a seguir como estão as portas da sua casa:
Abertas para: _____
_____.
Fechadas para: _____
_____.

Para rezar

Senhor, guarda minha família de todo mal.
Protege-nos da inveja, da discórdia, do desemprego, da violência e da enfermidade.
Senhor, age em minha vida conjugal e faz o milagre do perdão.
Ajuda-nos, Senhor, a resgatar o diálogo, o respeito, a dignidade.
Renova, Senhor, em nós o amor e transforma o que precisa ser transformado.
Que minha família não sofra o desgaste do mundo.
Fortalece, Senhor, nossa esperança e aumenta nossa fé.
Dá-nos paciência e serenidade diante das situações de conflito.
Dá-nos sabedoria para edificarmos nosso lar.
Dá-nos discernimento para educarmos nossos filhos.
Dá-nos a Tua paz.
Abençoa, Senhor, minha família.
Abençoa, Senhor, minha casa.
Abençoa, Senhor, e santifica a todos nós.
Amém.

CAPÍTULO 5

A CURA PARA SER FELIZ

Ouvimos dizer sempre que o ser humano deseja ser feliz e busca a felicidade. Mas o que significa ser feliz?

Ao que parece, depende dos valores que cada um tem. Para muitos, a felicidade está em ter dinheiro. Para outros, a fama e o sucesso importam tanto que chegam a expor a própria vida íntima nas redes sociais.

Se prestarmos atenção, é muito comum confundirmos felicidade com fascinação. A primeira é duradoura; a segunda, momentânea, tão efêmera quanto qualquer produto que compramos e depois perde a validade. Isso significa que a felicidade não está em coisas transitórias, mas naquilo que pode ser eternizado.

Como cristãos, não podemos "comprar" esse discurso imediatista de que "nada é eterno". Absolutamente. Deus é eterno, e o Seu amor por nós também. Encontrar a felicidade depende de nos aproximarmos dessa eternidade.

Quer ser feliz?

Pague o mal com o bem, seja fraterno, não minta, não invente calúnias, não guarde mágoas, perdoe sempre, haja com justiça e promova a paz.

Quer ser feliz?

Seja misericordioso, de espírito humilde e disponível para Deus.

Em síntese, busquemos ser felizes na prática de atos e valores do Reino, assemelhando-nos mais ao Criador.

Jesus nos deu a receita da felicidade: "Quando Jesus viu aquela multidão, subiu num monte e sentou-se. Os seus discípulos chegaram perto dele e ele começou a ensinar: 'Felizes as pessoas que são espiritualmente pobres, pois delas é o Reino dos céus. Felizes os que choram, pois Deus as consolará. Felizes os humildes, pois receberão o que Deus tem prometido. Felizes as pessoas que têm fome e sede de justiça, sede de fazer a vontade de Deus, pois ele as deixará completamente saciadas. Felizes as pessoas que têm misericórdia dos outros, porque Deus terá misericórdia delas. Felizes as pessoas que têm um coração puro, porque elas verão a Deus. Felizes as pessoas que trabalham pela paz, porque Deus as tratará como filhos. Felizes as pessoas que sofrem perseguições por fazer a vontade de Deus, porque o Reino dos céus é delas. Felizes são vocês quando os insultarem e os perseguirem e disserem de vocês todo tipo de calúnia por serem meus discípulos, meus seguidores. Fiquem alegres, fiquem felizes por causa disso, pois uma grande recompensa está guardada no céu para vocês, porque foi assim mesmo que perseguiram os profetas que viveram antes de vocês'" (Mt 5, 1-12).

Sigamos a receita de felicidade do Senhor

A felicidade é fruto da libertação, e a libertação é fruto da cura. Deus cura o homem completamente para fazê-lo mais livre e, sendo mais livres, somos mais felizes.

No texto que mencionei antes, Jesus nos ensina a sermos "bem-aventurados", ou seja, livres e felizes, então sigamos a receita que Nosso Senhor nos deu. Sua lição é tão precisa que vale a pena repetir à nossa maneira:

> *Quer ser feliz? Seja desapegado. Chore os pecados. Não se deslumbre com o mundo, e o Senhor o consolará.*
> *Quer ser feliz? Viva a virtude da humildade e receberá de Deus o prometido. Tenha fome e sede de Deus. Ele o saciará, e você ficará satisfeito.*
> *Quer ser feliz? Seja misericordioso com os erros e as falhas dos outros, especialmente daqueles que sofrem, porque assim também o Senhor usará de misericórdia com você.*
> *Felizes as pessoas que têm o coração puro e limpo, porque verão a Deus. Felizes as pessoas que trabalham pela paz e são instrumentos de sua disseminação pelo mundo.*
> *Felizes as pessoas que sofrem perseguições e são caluniadas, porque são discípulos do Senhor.*

O grande poeta Padre Zezinho compôs uma música cujo título é "Distração". Ela quase não é tocada, mas preste atenção na letra e compreenda como a felicidade entra em nossa vida:

Felicidade chegou,
nem sequer se apresentou

PE. REGINALDO MANZOTTI

*Foi entrando de mansinho
pela fresta que eu deixei,
quando a porta eu fechei
e jurei não mais amar!*

*Esperança chegou,
nem sequer se apresentou
Foi entrando de mansinho
pela fresta que eu deixei,
no sermão que eu escutei
e lutei pra não chorar!*

*Jesus Cristo chegou,
nem sequer se apresentou
Foi entrando de mansinho
pelas frestas que eu deixei,
nos irmãos que eu ajudei
sem querer devolução!*

*Minha vida mudou,
minha paz eu encontrei
E ela veio de mansinho,
pelas frestas que eu deixei,
e porque me descuidei.
Deus entrou com seu amor!*

Queremos felicidade em nossa vida?
Então não peçamos de volta o bem que fizermos.
Queremos felicidade duradoura?
Então vamos deixar uma fresta para o amor e outra para o perdão.

Além disso, precisamos vivenciar as bem-aventuranças, pois elas contêm uma incomparável sabedoria divina. A partir delas podemos tirar frutos valiosos e nos assemelharmos cada vez mais ao Mestre. Você pode se aprofundar sobre cada uma delas no capítulo 7 do meu livro Feridas da alma.

Use o livre-arbítrio para resgatar sua liberdade

Deus nos criou e nos presenteou com um dos maiores dons, que é a liberdade. Mas será que realmente somos livres?

São Paulo afirma na Carta aos Gálatas: "Foi para a liberdade que Cristo nos libertou" (Gl 5, 1). Essa frase não é um mero trocadilho; são palavras que fazem todo o sentido.

Explico.

Todos nascemos com o livre-arbítrio. Porém, isso não nos torna livres automaticamente. São Tomás de Aquino diz que o livre-arbítrio é o princípio pelo qual o homem julga livremente e faz escolhas. Assim sendo, a ação própria do livre-arbítrio é escolher (cf. *Suma teológica*, I, q. 83, a. 3). Para o Doutor Angélico, o livre-arbítrio não é senão a vontade. E, por isso, a vontade e o livre-arbítrio não são duas potências, mas uma só (cf. *Suma teológica*, I, q. 83, a. 4).

Esse dom que temos de fazer escolhas e tomar decisões, por sua vez, pode nos conduzir tanto à liberdade quanto ao aprisionamento. De fato, o Catecismo da Igreja Católica define a liberdade como o poder, baseado na razão e na vontade, de agir ou não agir, de fazer isto ou aquilo — portanto, de praticar atos deliberados. Pelo livre-arbítrio, cada qual dispõe sobre si mesmo (cf. *Catecismo da Igreja Católica*, n. 1731).

É a partir das nossas escolhas negativas que perdemos a liberdade. Ou seja, quando o utilizamos, por vontade própria, para fazer escolhas erradas, nós nos tornamos reféns ou prisioneiros. Por outro lado, usamos o livre-arbítrio para a liberdade na prática das virtudes, quando escolhemos fazer o bem e trilhamos o caminho do Senhor. As escolhas certas nos levam à liberdade.

Todos nós empregamos o livre-arbítrio, porém isso não significa que somos livres. Podemos usá-lo e perder a liberdade. Como já mencionei, uma pessoa com vícios e compulsões tem o livre-arbítrio, mas não é livre, uma vez que se refugiou no vício e começou a criar amarras. Isso vale para todo tipo de dependência. Ao criar esses grilhões para si mesma, a pessoa cerceia a própria liberdade, num tipo de limitação que necessita de cura.

Do ponto de vista da ordem política e social, segundo a Constituição, todos nós somos livres. No entanto, a maior libertação vem a partir de uma verdade revelada: Jesus Cristo.

Quanto mais vamos em direção a Deus, mais livres nos tornamos. Quanto mais vivemos a ética cristã, maior liberdade alcançamos.

De nada adianta termos o direito de fazermos escolhas se o empregamos de forma equivocada. Por exemplo, se ligamos um aparelho de 110V em uma tomada de 220V, sabemos o que acontece. Do mesmo modo, também a nossa liberdade tem alguns condicionantes.

Somos condicionados pela natureza, pelos padrões e por algo que não podemos esquecer e devemos sempre respeitar: o clássico princípio da "minha liberdade termina onde começa a do outro".

Cabe, pois, a pergunta: quanto somos livres?

E a resposta é: na medida dos nossos acertos e erros ao fazermos nossas escolhas. A boa notícia é que, em Deus, sempre temos uma segunda chance e não precisamos continuar insistindo nos erros do passado. Podemos tomar posse da graça de Deus e soltar nossos grilhões.

Quem afirma "Eu sou assim e não vou mudar" não acredita na graça e está usando o dom do livre-arbítrio para viver prisioneiro de um trauma do passado. Da mesma forma, entregar-se a uma paixão ou a um vício equivale a cortar as próprias asas. Independentemente do histórico de cada um, a existência dessas amarras é sinal de que a nossa liberdade está prejudicada.

Mas onde está o nó da sua corda?

Uma pista importante está no sentimento de apego. Muitos casais fazem do seu relacionamento uma verdadeira prisão e dizem que isso é amor. Ora, por mais que seja romântico e inspirador o ciúme para muitos artistas, ele não tem nada a ver com amor. Quem ama, zela, mas não prende.

O sentimento de posse aniquila, asfixia, gera doença. O amor cura. Recorro a uma fábula para ilustrar a diferença entre amor e apego...

Um príncipe vivia aborrecido e passava horas na janela esperando algo novo acontecer, até que um dia uma andorinha pousou em sua janela, cantou uma linda melodia e se foi. Ele ficou maravilhado, achou seu canto o mais lindo do mundo e sua plumagem, única.

Todos os dias, aguardava ansioso o regresso da andorinha, até que ela retornou, cantou e foi embora novamente. Então o príncipe se perguntou: "Será que ela está com frio?"

Na terceira vez em que a andorinha apareceu, ele ficou preocupado: "Será que está com fome?" E se dedicou a fazer uma casa para a andorinha, pedindo que seu servo a construísse. Quando ficou pronta, colocou dentro dela insetos, água e tecidos de seda a fim de fazer uma cama.

O pássaro voltou, e o príncipe ficou satisfeito vendo que se aproximou da casa, entrou, bebeu a água e comeu os insetos. Porém, depois, retomou o seu voo. Passou o tempo, e nada de a andorinha voltar. O príncipe, então, foi invadido pela ansiedade: "Será que ela nunca mais vai voltar? Será que encontrou uma casa melhor?"

Teve, pois, a ideia de colocar uma porta com cadeado para prender a andorinha e não deixá-la voar mais. Quando a andorinha voltou e entrou na casa para comer, o príncipe trancou a porta e disse: "Eu te amo, e nunca mais te faltará água, comida e calor." No princípio, a andorinha ficou um pouco confusa, mas, pela comodidade, passou a aproveitar a comida e a calidez da casinha.

O príncipe colocou a casinha na sua mesa de cabeceira e, todas as manhãs, elogiava a andorinha. Ela pensava que aquela vida não era tão ruim e cantava lindamente. Porém, com o passar do tempo, sua música foi rareando, até que emudeceu.

O príncipe não entendia que o cantar da andorinha era inspirado pela liberdade, pelo fluir do rio, pelo som do vento batendo nas árvores, pelo reflexo da lua nas rochas das montanhas, e assim ela era feliz. Contudo, agora, uma vez presa, não encontrava motivos para cantar.

O príncipe justificava dizendo que fazia isso porque a amava e era perigoso para ela voar sozinha. Um dia, ele acordou, foi *acariciar a andorinha e percebeu que ela estava morta. Tentou culpar seu servo, mas isso não o fez se sentir melhor, e novamente mergulhou na solidão.*

Até que outra andorinha pousou em sua janela e cantou uma canção, a mais linda que ele já havia escutado.

Moral da história: o apego exagerado é sempre prejudicial. Com a desculpa de proteger e cuidar, podemos matar a vontade de viver da outra pessoa, cerceando sua liberdade.

Deus nos quer felizes, e para isso temos de ser livres. É importante entender que a liberdade não implica apenas autonomia em relação às nossas escolhas, mas também sabedoria ao fazê-las. Temos de levar em conta as bem-aventuranças, ou seja, que não podemos simplesmente fazer o que queremos "doa a quem doer", e sim escolher aquilo que nos torna a imagem e semelhança de Deus.

Em síntese, a liberdade caminha de mãos dadas com a responsabilidade; caso contrário, vira libertinagem. O limite sempre é dado pela liberdade dos outros e pela própria liberdade da Criação em nós. Por esse ponto de vista, por exemplo, o aborto é um equívoco, porque a liberdade de quem concebe está condicionada ao direito que a criança tem de nascer. A Igreja é fiel a Deus, para Quem a vida está acima de tudo.

Erroneamente, nós nos consideramos livres, mas somos escravos do consumismo e de uma série de "necessidades inventadas" que, na prática, não fazem o menor sentido. No entanto, por serem repetidas exaustivamente, acabam assumindo o *status* de verdade. A maioria das pessoas vive à mercê dessas pseudoverdades que transformam a sua vida em uma grande prisão.

Deixe-se cortar e renascer pela poda do Senhor

Quanto mais nos abrimos para amar e trilhamos, mesmo com muitos percalços, os caminhos do Senhor Jesus, mais duradoura é a nossa experiência de felicidade.

Parece complicado, mas não é.

Estou me referindo a atitudes simples e possíveis. Por exemplo, sem perdão não se vive, e por isso o exercício do perdão é uma condição para sermos felizes. Tratar igualmente e com justiça todas as pessoas é outra conduta que nos coloca no caminho da felicidade.

Se o que nos prende é um cabo de aço ou um fio de náilon, não importa: o fato é que estamos amarrados. E só há uma maneira de cortar as amarras e promover o necessário processo de libertação, e essa maneira consiste em usar a poda de Deus.

Jesus disse que nós somos os ramos, Ele é a videira, e o Pai é o agricultor. Todo ramo que não dá fruto é cortado. Mas todo ramo que dá fruto é podado (Jo 15, 1-2).

Existe diferença entre corte e poda. O corte elimina a planta, enquanto a poda a fortalece. Esse recurso é usado para que possamos dar mais frutos. Certa vez, vi um arbusto de hortênsia e comentei que haviam matado a planta, pois restara só o tronco. Mas a pessoa responsável me explicou que faz parte da poda a retirada total de todas as flores e folhas envelhecidas, a fim de que as novas floresçam.

Da mesma forma, se nós queremos ser felizes, temos de pedir para o Senhor nos podar com a Sua tesoura certeira. Essa tesoura não vai eliminar apenas as folhas secas que o próprio vento da vida se encarrega de derrubar, mas vai até a raiz do nosso sofrimento para que possamos brotar de novo.

Deus nunca podará apenas a parte mais superficial dos nossos galhos; antes, Ele vai até o talo para fazer um corte que realmente nos faça renascer. O nosso amor e confiança em Deus são medidos pelo tamanho da poda que permitimos que Ele faça nas nossas vidas.

Segundo Santo Agostinho, somente o amor de Deus nos proporciona a verdadeira felicidade. Portanto, Ele, por si só, é digno do maior amor que possamos sentir. Eis por que a ausência de Deus é o próprio Inferno, a maior dor que se pode experimentar.

Muitos não acreditam, mas o Inferno existe. E não porque Deus ou a Igreja o criaram e assim desejam, mas por consequência de uma decisão angélica de negação de Deus. E o ser humano pode ali parar quando, pelo seu livre-arbítrio, escolhe o desamor. Para piorar, depois da morte não dá mais para se converter. Ou nos convertemos e amamos Deus em vida, ou essa recusa significará nossa condenação. Depois não tem como mudar. Não adianta rezarmos pela conversão dos que já faleceram. A nossa oração não vai convertê-los mais: o que fizeram já está feito. Rezamos, antes, para os que estão no purgatório, a fim de clamar a misericórdia de Deus sobre eles.

Em Fátima, Portugal, Nossa Senhora mostrou o Inferno para os três pastorinhos: Lúcia, Francisco e Jacinta. Ainda tinham a idade dos meus afilhados e devem ter ficado desesperados. Em outra revelação semelhante, Deus mostrou o Inferno a Santa Faustina, que escreveu em seu diário: "Eu, Irmã Faustina, por ordem de Deus, estive nos abismos do Inferno para falar às almas e testemunhar que o Inferno existe." Ela descreve os tipos de tormentos que viu, entre eles a perda de Deus, o contínuo remorso de consciência e a certeza de que esse destino não mudará nunca. Havia fogo; não, porém, como o conhecemos, mas aquele que destrói a alma. O cheiro era sufocante, e também havia escuridão, a companhia do Demônio e seu ódio por Deus. Cada alma é atormentada, com o que pecou, por um horror indescritível. Santa Faustina ainda relata: "O número das almas que lá estão é justamente aquele correspondente aos que não acreditavam que o Inferno existisse." Jesus revela a ela que não quer castigar a humanidade, mas curá-la. Somos nós mesmos que nos imputamos os castigos (cf. *Diário de Santa Faustina*, nn. 741 e 1588).

Por isso, não desdenhemos desses alertas. O livre-arbítrio, que é um grande dom do ser humano, pode inviabilizar a nossa felicidade. O livro do Deuteronômio afirma: "Hoje estou deixando que vocês escolham entre o bem e o mal, entre a vida e a morte" (Dt 30, 15). Precisamos, pois, compreender que a liberdade e a felicidade somente vêm de Deus.

Acesse a potência que está dentro de você

Costumo fazer uma distinção importante entre os conceitos de alegria e de felicidade. No primeiro caso, embora a alegria seja um dos frutos do Espírito Santo, trata-se de uma satisfação momentânea. Já a felicidade não é um estado definitivo, mas uma obra em permanente construção, que depende do exercício da espiritualidade, do amor, da compaixão e da humildade.

Em outras palavras, para sermos verdadeiramente felizes precisamos a todo momento atualizar as bem-aventuranças em nossas vidas. Como já vimos, elas são a "receita para felicidade" dada pelo próprio Jesus.

Felizes são aqueles que, pelas suas atitudes, tornam o Reino de Deus presente no mundo de hoje. Fazer caridade, por exemplo, ajudando pessoas sem esperar nada em troca, é uma das bem-aventuranças ensinadas pelo Senhor. (Lembrando que a sua mão esquerda não precisa saber o que a direita faz! [Mt 6, 3].) No caso da obra *Evangelizar é Preciso*, a divulgação da prática da caridade cristã torna-se necessária porque diz respeito a uma ação comunitária que demanda a ajuda de todos, porém jamais devemos fazê-lo para promoção pessoal.

Aqui cabe a pergunta: onde é preciso mudar?

Não adianta nos propormos a fazer algo grandioso, porque certamente não conseguiremos cumprir e nada mudará de fato.

Vamos por partes...

Dentro de casa, o que precisamos rever?

Nesse quesito, há muito o que aprimorar. Quando me convidam para ir à casa de alguém, não estou nem aí para a simplicidade do ambiente, mas reparo muito na atenção dispensada. Receber uma pessoa e deixá-la de lado para ficar conversando no telefone ou com a televisão ligada é uma total falta de consideração. O mesmo cuidado devemos ter com nossos familiares naqueles momentos em que estamos reunidos para fazer uma refeição ou simplesmente conversar.

No trabalho, a mudança também é bem-vinda. Procure identificar os comportamentos que impedem você de alcançar seus objetivos e não hesite em alterá-los.

Na vida espiritual, por que não começar por uma maior assiduidade às Missas e celebrações religiosas?

Pode não parecer, mas essas atitudes fazem toda a diferença.

Muitas pessoas não querem se transformar em borboletas para não terem de passar pelo doloroso processo da metamorfose. Seguem, então, pela vida como lagartas. A metamorfose, o casulo, o crisol pode ser visto simbolicamente como o sepulcro do Cristo, mas nunca podemos esquecer que Ele ressuscitou!

Essa mesma potência está dentro de nós. É muito forte, e para acessá-la basta seguirmos os passos de Jesus. Não precisamos empreender grandes transformações logo de cara. Afinal, para buscar a Deus temos de partir de algum ponto. Então, comecemos pelas mudanças que se encontram imediatamente ao nosso alcance.

Sejamos abelhas espirituais

A felicidade requer um compromisso inabalável com a responsabilidade e a verdade. Ninguém será verdadeiramente feliz — nem eu como Padre, nem você com sua família e no seu trabalho —, se não se exercitar nesses dois pilares da espiritualidade.

Cristo nos libertou para a felicidade, essa dádiva que custou seu Sangue na Cruz, onde Ele destruiu a causa da nossa escravidão: o pecado.

Mas por que razão ainda erramos?

Porque não conhecemos a verdade dos nossos sentimentos e atitudes — negamos, justificamos e projetamos, como vimos no capítulo anterior — e porque não utilizamos o livre-arbítrio com responsabilidade na hora de fazermos as nossas escolhas. Em síntese, não aceitamos e não permitimos de fato que a libertação de Jesus Cristo aconteça.

Nosso Senhor disse: "Se alguém quer me seguir, renuncie a si mesmo, tome a sua cruz e me siga" (Mt 16, 24). Isso quer dizer que devemos tomar consciência da nossa verdade e decidir com responsabilidade.

Quando Jesus perguntou a Pedro, pela terceira vez: "Pedro, tu me amas?", o Apóstolo respondeu: "Senhor, tu sabes tudo e sabes que te amo" (Jo 21, 17). Trocando em miúdos, é como se Pedro tivesse dito: "Senhor, tu sabes que eu te neguei, fui covarde e ainda sou refém das minhas misérias. Mas sabes também que eu te amo."

Digamos, então, também nós:

Senhor, tu sabes que sou incoerente,
Sabes que sou prisioneiro das minhas mazelas,
Sabes que sou refém de muita coisa.
Mas... Tu sabes que eu Te amo.

Tenho absoluta convicção de que o Senhor dirá: "Então toma a tua cruz, aquilo que ainda não conseguiste superar. Renuncia ao teu ego e segue com a tua cruz de cada dia. Mas segue-me."

Não esperemos ser perfeitos para seguir Jesus.

Nunca seremos verdadeiramente vitoriosos enquanto buscarmos a felicidade longe do Pai — no cigarro, na bebida, nos prazeres da carne ou nos bens materiais. Viver em pecado é o que aprisiona e escraviza.

No entanto, cuidado. Lembremos que não dá para pegarmos a nossa cruz e querer carregá-la sem Jesus. Sem Jesus a cruz é desespero e loucura. Com Jesus é vitória, é redenção, salvação.

Quando o Senhor nos manda tomar a nossa cruz de cada dia e segui-Lo, dá-nos um sinal claro de que esse é o caminho da felicidade. Todos os santos se santificaram pela própria cruz. Porém, não há como abraçar um (a Cruz) sem abraçar o outro (Cristo). Abraçar o Cristo na Cruz e a Cruz em Cristo implica renunciarmos ao homem velho e triste que é refém das más inclinações, da concupiscência da carne e da soberba, fazendo surgir o homem novo. Eis a nossa cura interior.

De todas as qualidades de Jesus, uma das que mais chamava a atenção era o fato de ser um homem livre e feliz. Isso encantava e atraía as pessoas.

Muitos dizem que aquilo que não presta ou é proibido também atrai, o que também é verdade. O pecado magnetiza porque vicia. Quando alguém comete um malfeito pela primeira vez, sente muito medo e até sua frio. Na segunda vez, essa sensação arrefece, e na terceira já não se sente nada. Nós nos acostumamos com o pecado.

Temos uma natureza que é divina e também uma "segunda natureza", que pode ser boa ou má. Quando fazemos algum mal a alguém, como mentir ou enganar, ficamos nervosos, até que assimilamos isso como algo "natural". Assim desenvolvemos a nossa segunda natureza. Há pessoas cuja segunda natureza se torna preponderante, e elas acabam sendo descritas pelo pecado que praticam, como é o caso dos avarentos, invejosos, vingativos etc.

O mais grave é que essa segunda natureza também é contagiosa, ou seja: de tanto ver os outros fazendo algo errado, passamos a praticar o mesmo. São Pio de Pietrelcina dizia: "Seja como uma *abelha* espiritual, que leva para sua casa apenas mel e cera."

Precisamos trabalhar e nos locomover no mundo, mas não transportemos coisas ruins e "cacarecos" para dentro da nossa casa, tanto aquela em que habitamos quanto aquela que jaz em nosso interior. Carreguemos apenas o néctar que faz o mel.

Portanto, apaguemos as lembranças ruins e procuremos resolver os assuntos que demandam o nosso perdão. Quando alguém nos faz mal, exercitemos a nossa liberdade de fazer o bem e perdoar. As primeiras vezes serão difíceis e exigirão grande capacidade de autocontrole, mas com o tempo estaremos tirando isso de letra.

Sejamos abelhas espirituais que transformam a própria vida e a dos que nos cercam em docilidade, harmonia e paz!

Para rezar

Senhor Jesus das Santas Chagas,
Tiveste compaixão dos enfermos e de todos
    aprisionados por espíritos maus.
Eu Te peço, pelos méritos de Tuas Santas Chagas,
Pelo poder do Teu Sangue Redentor e pela força do
    Teu Espírito,
Que concedas a cura e libertação da escravidão do
    vício do alcoolismo,
Bem como de outros vícios, drogas e compulsões, a
    (*dizer o seu nome ou da pessoa por quem reza*).
Passa Senhor, na minha (*sua*) história, curando os
    traumas, os registros negativos e a herança genética
    desta doença.

Liberta-me (*liberta-o/a*) de toda carência, de toda rejeição, de toda falta de amor, de toda amargura e de todo complexo.
Fortalece-me (*fortalece-o/a*), Senhor, na vontade de lutar contra os vícios
E restaura minha (*sua*) vida. Amém.

CAPÍTULO 6

A CURA DA MENTE APRISIONADA

A compreensão da mente humana, em seus diversos aspectos, desde há muito tem atraído o interesse de diversos pesquisadores. Isso inclui não só neurocientistas e psicólogos, como também filósofos e estudiosos em geral.

A palavra "mente" vem do latim *mentem*, e seu significado está associado às faculdades de pensar, conhecer e entender. Trata-se da parte imaterial e funcional do cérebro.

Fazendo uma comparação simples, enquanto o cérebro constitui a parte física, ou seja, um órgão do sistema nervoso, com grande quantidade de neurônios, a mente corresponde à nossa potência intelectual ou nossas funções cognitivas. Tem, entre outras, as habilidades de ponderar e avaliar o peso e as consequências dos pensamentos.

Além de tudo isso, eu acrescentaria um fator importantíssimo sobre a mente, que é a sua influência direta na nossa vida espiritual. Aquilo que eu chamo de "mente aprisionada", por exemplo, está na origem da maioria dos nossos problemas do espírito, podendo muitas vezes atrapalhar a nossa cura e até causar o maior de todos os males: a paralisia espiritual.

Você pode até pensar que tem a mente livre, mas, quando ela está apegada à carnalidade e às demais seduções do mundo, deixamos brechas para que a vida se transforme em um parque de diversões para o Príncipe das Trevas.

Nesse sentido São Paulo nos adverte: "Não se amoldem às estruturas deste mundo, mas transformem-se pela renovação da mente, a fim de distinguir qual é a vontade de Deus: o que é bom, o que é agradável a Ele, o que é perfeito" (Rm 12, 2).

Não se deixe seduzir nem conduzir pelo mal

Quando o Inimigo entra em nossas mentes, passamos a viver como animais enjaulados; e, por mais que tentemos compreender e nos libertar, não conseguimos. Assim, vamos vivendo aos trancos e barrancos, à mercê de juízos errados, de desafetos em relação aos outros, de preconceitos, de críticas e até de imaginações distorcidas.

Onde está a chave que abre essa jaula?

Você já deve ter percebido que ter uma mente aprisionada vai minando a nossa relação com Deus, com o próximo e conosco.

Não obstante, assim que começam as provações e adversidades, os questionamentos — acredite, pois eu escuto quase todos os dias a mesma linha de raciocínio nas partilhas feitas no meu programa de rádio! — vêm com o sinal invertido, ou seja, são feitos de trás para a frente, condenando a vítima, que é a nossa relação com Deus, e não o verdadeiro algoz.

Vejamos: "Onde está Deus?", "Ele nos ama realmente?", "Deus tem poder, então por que não acaba com tudo?", "Por que Deus não é fiel para com Seu povo?"... Essas são as cobranças que mais ouço, como se estarmos afastados do Pai fosse culpa dEle, e não da nossa paralisia espiritual!

Outra pergunta que aparece com frequência e que, certamente, muitos de nós já a fizemos ou ainda faremos é: "Por que comigo?" Alguns são ainda mais fatalistas e vociferam: "Por que *sempre* comigo?"

Esse tipo de equívoco é muito comum, e justamente porque a alienação é um dos principais sintomas da paralisia espiritual. Vivenciamos as mazelas do mal, mas não sabemos identificar sua origem.

Cito novamente a carta apostólica Salvifici Doloris, com esta afirmação de São João Paulo II: "No fundo de cada sofrimento experimentado pelo homem, como também na base de todo o mundo dos sofrimentos, aparece inevitavelmente a pergunta: por quê? É uma pergunta acerca da causa, da razão e também acerca da finalidade (para quê?); trata-se sempre, afinal, de uma pergunta acerca do sentido" (Salvifici Doloris, 9). Salienta ainda o Santo Papa que, com frequência, essa pergunta é feita a Deus, "e Deus espera por essa pergunta e escuta-a, como vemos na Revelação do Antigo Testamento. A pergunta encontrou a sua expressão mais viva no Livro de Jó" (Ibidem, 10), embora não seja castigo infligido por Deus, como expressou o Papa: "O sofrimento, de fato, é sempre uma provação — por vezes, uma provação muito dura — à qual a humanidade é submetida" (Ibidem, 23).

Satanás, no Jardim do Éden, com a voz da serpente, prometeu a nossos primeiros pais que abriria os olhos deles se fizessem o que ele dizia. Ao aceitar essa barganha, abrimo-nos ao pecado — não apenas aquele de querer ser igual a Deus, o pecado do orgulho, mas ainda o da resistência à nossa santidade. E, quanto mais "desfrutamos" daquilo que o Inimigo nos oferece, mais ele tripudia dos nossos sofrimentos.

Uma vez em pecado, a primeira atitude dos humanos foi: "Vamos nos cobrir." Na inexperiência, pensaram que podiam encontrar uma alternativa, consertar o erro e a vergonha, mas encobrir não elimina o problema. Deus fez o corpo humano, e tudo o que Ele fez é bom, mas a mente humana foi aprisionada! Até hoje não compreendemos que não é pelos nossos feitos que o Pai nos ama. Ele nos ama acima da nossa condição.

Estamos infectados, e não só pelo famigerado vírus da Covid-19, como também pelo agente infeccioso da dúvida. Não por acaso, o Papa Francisco disse que temos de ser infectados pelo vírus da esperança, cujo efeito é nos aproximar de um Deus que liberta.

Deu para entender o que fez o Inimigo?

Ele incentivou nossos ancestrais a experimentarem o fruto do conhecimento, como se Deus estivesse escondendo o segredo da felicidade. De quebra, ainda instigou a sua vaidade, fazendo-os acreditar que os tornaria iguais a Deus. Pretensiosos, eles aceitaram.

A Queda no Éden foi seu castigo, mas o efeito deletério da alienação espiritual perpetuou-se. Por isso, com muita frequência achamos que Deus nos limita ou que a religião nos escraviza. Não é verdade. Pensamos dessa forma porque a nossa mente está aprisionada. Deus liberta, e a religião bem vivida nos faz homens e mulheres verdadeiramente livres.

Atenção para o perigo da morbidez espiritual!

Outro sintoma da mente aprisionada é a chamada "morbidez espiritual", um estado doentio caracterizado por atos de egoísmo. É possível identificá-lo sempre que nos colocamos no centro do mundo ou dos nossos problemas e, assim, passamos a ser referencial para nós mesmos: "Meus valores, meus princípios", e por aí vai. Até a falsa modéstia é indício desse egocentrismo disfarçado: "Não sou um merecedor da graça de Deus." Ora, como se fosse você quem orientasse a misericórdia infinita de Deus!

São Paulo afirmou que a luta espiritual não ocorre contra homens de carne e osso, mas contra os principados e as potestades, contra os dominadores deste mundo de trevas, contra os espíritos do mal que habitam as regiões celestes (cf. Ef 6, 12).

Esses inimigos estão sempre tentando se alojar em nossas mentes — por exemplo, por meio dos maus pensamentos. Não estou dizendo que somos inocentes. Nós permitimos, damos brechas, mas por vezes quem suscita e inocula o veneno são os poderes malignos.

A nossa mente é, portanto, o chão dessa batalha entre as potestades. Sem tirar a responsabilidade do nosso livre-arbítrio, muitas vezes somos feitos de "massa de manobra", debatendo-nos diante de situações forjadas. Quantas vezes os fatos chegam até nós distorcidos? Qualquer semelhança com as tais *fake news* não é mera coincidência. Deduzir sem ter certeza e sair por aí afirmando, para mim, é a mesma coisa que inventar. Tem gente que age como secretário do "Capeta", que alimenta a nossa morbidez espiritual para que terminemos aprisionados e alienados, distorcendo os ditos e propagando desafeições.

O ambiente de trabalho é um caso clássico dessa ação do Inimigo. Se está todo mundo trabalhando pela mesma causa, de onde vem tanto desentendimento? Dentro de casa, idem: se as pessoas estão juntas por laços de sangue e de afeto, por que brigam e se ofendem tanto?

A razão básica é uma só: a tentação do Inimigo e a nossa permissão para que ele haja.

Busque a Palavra de Deus

Às vezes, algo que passa pela nossa mente é tão terrível e insuportável que pensamos: "Como essa ideia entrou na minha cabeça?"

A arma para destruir interpretações falsas, pensamentos de morte, injustiça e falta de perdão está na Carta aos Hebreus: "A palavra de Deus é viva e poderosa e corta mais do que qualquer espada afiada dos dois lados. Ela vai até o lugar mais fundo da alma e do espírito, vai até o íntimo das pessoas e julga os desejos e pensamentos do coração delas" (Hb 4, 12).

A Palavra de Deus nos ajuda a discernir o que está certo ou errado. É o começo da cura. Portanto, se estamos com pensamentos ruins, não devemos procurar benzimento ou outras práticas supersticiosas, e sim a Sagrada Escritura. Nela encontramos uma verdadeira biblioteca de ensinamentos.

A esse respeito, Santo Isidoro fez uma reflexão muito interessante: "Há alguns que têm boa inteligência, mas são negligentes em ler os textos sagrados; o seu desinteresse mostra o desprezo por aquilo que a leitura lhes poderia ensinar. Há outros, porém, que desejam saber, mas têm pouca inteligência. Estes, com uma leitura assídua, conseguem aprender aquilo que os mais inteligentes, pela sua preguiça, nunca aprenderã." Assim, toda cura depende primeiramente de busca e esforço.

Deus não errou na Criação. Ele partilhou Seu espírito com o homem, o *Ruah*. Contudo, na medida em que seguimos a carnalidade, nós nos tornamos mundanos e nos aprisionamos. Por outro lado, quando nos conectamos com o Espírito de Deus, libertamo-nos.

Se pomos grades em nossa vida e vivemos fechados em uma cela, obviamente nosso olhar fica limitado e não conseguimos mais enxergar. Mas não pense que estou me referindo a uma jaula tradicional, com grades e paredes que fazem o sol nascer quadrado aos nossos olhos. Refiro-me a algo muito pior, que é a prisão sem muros, aquela que nós mesmos ajudamos a construir dia a dia ao nos deixarmos controlar pelos instintos egoístas. São eles: fornicação, impureza, libertinagem, idolatria, feitiçaria, ódio, discórdia, ciúme, ira, rivalidade, divisão, sectarismo, inveja, bebedeiras, orgias e outras coisas semelhantes (cf. Gl 5, 19-21).

Já o Espírito Santo é aquele que age e faz. Ele sopra onde quer e renova tudo. Então, busquemos sempre viver os frutos do Espírito Santo: amor, alegria, paz, paciência, bondade, benevolência, fé, mansidão e domínio de si (cf. Gl 5, 22-23a).

Cure a sua relação com Deus e com o próximo

Um dos maiores sinais da nossa paralisia espiritual é a imagem distorcida que temos de Deus. Repito quantas vezes forem necessárias: a ideia errada de que os sofrimentos e os infortúnios da vida, como a morte e as doenças, são castigo de Deus. Nada disso.

Embora Deus permita que sejamos acometidos por esses males, não é Ele quem os envia. Quem acha isso está com a mente aprisionada numa patologia espiritual. Essa patologia atrapalha a nossa relação de amor com Deus.

Outra distorção está em acreditar que fé tem relação com a riqueza material. Essa é uma crítica ferrenha que faço à Teologia da Prosperidade, mesmo sabendo que estou sujeito a "censuras" por conta disso. Segundo esse ponto de vista, a riqueza e os bens materiais são bênçãos de Deus, enquanto a pobreza e as necessidades representam uma espécie de maldição. Portanto, quanto mais você dá, mais bênçãos recebe. Se não tem recebido, é porque você doa pouco.

Essa doutrina simplesmente ignora que todos os males que acometem o ser humano são consequência direta do modo de vida que levamos. Por exemplo, quem bebe e fuma por longo tempo pode vir a desenvolver problemas hepáticos, como a cirrose, e ainda enfisema pulmonar. Então, jamais se pode dizer que essas doenças foram enviadas por Deus. Elas são resultado da nossa escolha de fazer uso de substâncias nocivas ao organismo, e Deus não interfere nisso porque respeita nosso livre-arbítrio. Da mesma forma, o desemprego e a desigualdade social não são da vontade de Deus, e sim fruto de um sistema injusto, que perpetua a má distribuição de renda.

Como sempre afirmo, Deus não gosta de ver uns com tantos bens e outros sem nada, pois somos todos Seus filhos. É um erro gravíssimo do ponto de vista espiritual acreditar que os ricos sejam bons e esforçados e os pobres, maus e preguiçosos. Além disso, Jesus nasceu pobre, sofreu, foi incompreendido... Será que o próprio Filho do Homem careceria de graças e bênçãos?

Se queremos a cura da nossa mente, precisamos acreditar na gratuidade do amor de Deus. Ele é gratuitamente bom, mas esse amor é um dom que precisa ser permanentemente trabalhado e recebido, de forma a melhorar a nossa relação com Ele e com o próximo.

Construa a sua fé sem radicalismos

Estar aprisionado significa não viver aquilo que Deus planejou para nós.

Mas qual é o Seu plano?

A nossa salvação. Deus quer nos resgatar da prisão do pecado para que experimentemos a libertação do homem novo. "Pois ele nos resgatou do domínio das trevas e nos transportou para o Reino do seu Filho amado, em quem temos a redenção, a saber, o perdão dos pecados" (Col 1, 13-14).

O homem novo é aquele que se abre para o mundo do futuro. Trata-se de um mundo em construção, feito por um homem em construção. Eu e você somos pessoas em construção.

Esta é uma reflexão fundamental não apenas para compreendermos os acontecimentos, como também para alcançarmos a cura total.

O radicalismo ou fanatismo é um sério entrave a esse processo de construção do mundo e de nós mesmos. Em geral, podemos viver três versões de radicalismo: 1) acreditar só na Palavra (a fé pela fé); 2) acreditar só na ciência (não aceitar a fé); 3) acreditar na Palavra, mas precisar do argumento da ciência para comprovar a fé.

Apesar de estarem em campos distintos, fé e ciência não são opostas e têm muitos pontos de interseção. Ao contrário do que muitos pregam, espiritualidade e ciência não colidem obrigatoriamente. Não obstante, há pessoas que são radicais ao extremo e não aceitam a posição da Igreja nesse assunto. Ou são fundamentalistas, ou não creem e se tornam ateias.

Pessoalmente, gosto de cultivar a seguinte máxima: enquanto a ciência nos ajuda a pensar, a fé nos ajuda a viver melhor.

A ciência busca explicações para fenômenos por meio da pesquisa e da produção de conhecimento, e por isso cumpre o papel de desmistificar tabus e avançar o conhecimento racional do homem a respeito do mundo. A fé, por sua vez, deriva da experiência do metafísico e está diretamente ligada a Deus. São áreas diferentes, mas não antagonistas. A fé pela fé, sem profundidade nem reflexão, leva ao extremismo e ignora aspectos morais que estão fora do âmbito científico, e nós sabemos bem onde isso vai dar. Não se trata de uma fé verdadeira.

Podemos ser a um só tempo da fé e da ciência.

Uma pessoa que tem um olhar mediado pela fé e pela ciência examina os fatos, desde as causas até os efeitos, e age com discernimento. Observa e questiona, mas enaltece a criação e exalta o Criador, porque reconhece Seu poder.

Uma pessoa que se guia apenas pelas leis naturais busca os fundamentos, mas não consegue alçar voos maiores e não sacia o coração, justamente por não levar em conta Aquele que criou tudo à nossa volta.

Manter-se encarcerado pelo viés cientificista faz com que percamos a esperança. Se olharmos só o processo evolutivo do mundo, seremos um acaso, e isso é desesperador. Não passaremos de um acidente cósmico, produto de uma linhagem evolutiva sem origem nem destino. O poder explicativo da ciência sozinho não contempla a esperança. Por outro lado, ancorado pela fé, abre a mente e nos mostra sinais do sagrado em toda a natureza.

Como assegurou o Papa João Paulo II na encíclica *Fides et ratio*, "a fé e a razão constituem como que as duas asas pelas quais o espírito humano se eleva à contemplação da verdade".

Muitos de nós queremos validar toda e qualquer revelação apenas pela ciência. O teólogo americano John Haught sugere que o contrário seja igualmente oportuno: "A convicção profunda de que um novo futuro se abre diante de nós e de nosso universo inacabado liberta não apenas o coração para uma vida de esperança, mas também a mente para a vida de exploração irrestrita." Lado a lado, a ciência e a fé nos fazem sair da prisão do determinismo e enxergar um plano maior.

Intensifique a relação com Deus

Existe ainda outro sinal de paralisia espiritual e aprisionamento crônico da mente: o racionalismo. Uma pessoa que se diz muito racional é escrava de seus próprios argumentos. Não que o racionalismo seja negativo em si, mas não se pode atribuir valor somente à razão, ao pensamento lógico.

A mente é o parque de diversões do "Capeta", o lugar onde começa a dúvida, a vergonha de Deus; e, portanto, também demanda libertação.

Contra isso o melhor remédio é a fé. Isso significa viver não subjugado pela materialidade, mas segundo o Espírito.

Deus quer que criemos relação com Ele, dotados de uma vida interior que nos faça voltar a ser o que Ele sempre desejou para nós: seres humanos criados à imagem e semelhança de Deus. Ele quer tirar nossas vendas, abrir nossas prisões. Quer que sejamos perfeitos como Ele, o que exige conversão.

Não se trata de algo que conseguimos fazer do dia para a noite, e sim de um processo — contemplação, ascetismo (autocontrole do corpo e busca de Deus), devoção, piedade, espiritualidade — por meio do qual somos chamados a nos sentar com Deus e com Ele passarmos todas as tardes, sem vergonha de nossa "nudez". Sem precisar criar "filtros" para ser aceito pelo Senhor e ser como Ele nos fez.

Uma das virtudes fundamentais nesse processo chama-se "temor de Deus". A palavra temor não quer dizer medo, e sim reverência, um amor reverente.

Vou dar um exemplo.

Deus se mostrou a Moisés e Elias, que ficaram chocados e fascinados, mas nenhum dos dois ousou olhar para Ele, e viraram o rosto.

Por quê? Não quiseram ver a Deus?

Não, eles agiram assim movidos pelo temor, pelo respeito à divindade.

Devemos pedir que o Senhor introduza em nossa mente o santo temor, para nos conscientizarmos da nossa indignidade e da necessidade de arrependimento. Esse é o caminho espiritual que nos afasta do mal e nos conduz para o próximo e para o Criador.

Temer a Deus e amá-Lo são as duas faces da mesma graça recebida, a qual nos dá o discernimento para distinguir entre o puro e o impuro, o santo e o profano. O que possibilita a percepção daquilo que não é de Deus é justamente o santo temor.

Deus estabeleceu o que é santo porque Ele é santo. Quando Moisés chegou perto da sarça ardente, arbusto localizado no Monte Horeb, Deus ordenou que tirasse as sandálias, pois aquela era uma terra santa (cf. Ex 3, 5). Pelo mesmo motivo, ordenou a Moisés que subisse sozinho o Monte Sinai, a fim de receber as tábuas da Lei.

Nossa fé não é meritória, ou seja, não merecemos o céu e tampouco o perdão. Deus nos concede essa graça porque nos ama, mas precisamos buscá-la porque Deus também nos quer sempre livres.

É importante entendermos que existem dois tipos de conduta no processo de libertação do que nos aprisiona: uma ativa e outra passiva.

O primeiro consiste em buscar a Deus e amá-Lo. O segundo, deixar-se amar e tocar por Ele. Se não houver a confluência dessas duas ações, nossa mente não alcança o equilíbrio e não se liberta totalmente. Os santos da Igreja vivenciaram esse processo, que alguns chamam de "caminho da perfeição" (Santa Teresa de Ávila), "escada" (Santa Rosa de Lima), "subida do monte" (São João da Cruz), "processo e etapas" (Santo Inácio de Loyola), entre outros. Mas todos têm o mesmo objetivo: deixar de viver aprisionados.

E quanto a nós, o que desejamos?

Viver amarrados diminui drasticamente a atuação da graça em nós. Que bom seria se tivéssemos um espelho capaz de mostrar aquilo que Deus planejou para nossas vidas. Mas, diferentemente da história da Branca de Neve, em vez de perguntar "Espelho, espelho meu, existe alguém mais belo do que eu?" — ou, adaptando para os dias atuais: "Espelho, espelho meu, há mais algum botox para eu fazer?" —, pediríamos: "Espelho, espelho meu, revele os planos de Deus para mim." Que bom seria enxergarmos o horizonte divino!

Para finalizar, há algo que não posso deixar de comentar.

A religião é um conjunto de práticas e ritos públicos desenvolvidos para o contato com o sagrado. Porém, o rito pelo rito não substitui a espiritualidade. Não sou eu quem faz essa distinção, mas o próprio Jesus Cristo.

De fato, religião não é sinônimo de espiritualidade. Em linhas gerais, pode-se dizer que espiritualidade é viver segundo o Espírito, ou seja, diz respeito à nossa relação com o sagrado e o transcendente. Consiste em estabelecer uma relação pessoal, próxima, concreta com Deus. Consuma-se por meio do amor e do seguimento a Jesus Cristo.

Muitos de nós acreditamos que basta ter uma religião, mas isso não pode ser uma questão de conveniência ou de aparência social, uma forma de camuflagem do nosso verdadeiro modo de viver. Sendo mais direto ainda: a religião não pode existir sem a espiritualidade. Lembremo-nos de Nicodemos, um grande mestre, cheio de sabedoria e cumpridor dos ritos, mas que ainda assim foi procurar Jesus e precisou "nascer de novo", justamente pela falta de espiritualidade.

Uma pessoa sem espiritualidade pode ser bem formada e destacada, mas não é feliz e sempre viverá com uma angústia existencial.

A espiritualidade nos leva à perfeição. Portanto, se queremos ser livres, precisamos sair do mero ritualismo e desenvolver uma espiritualidade que, alicerçada nos ritos, nos conecte verdadeiramente ao amor do Pai, do Filho e do Espírito Santo.

Para rezar

Obrigado, Senhor, pelo livre-arbítrio que me concedeste.
Obrigado pela liberdade que eu tenho.
Obrigado por me fazer à Tua imagem e semelhança.
Obrigado por eu ter sido criado no Teu amor.
E eu quero viver nesse amor!
Mas, para isso, peço-Te: descontamina minha mente.
Tira dela todos os maus pensamentos.
Tira dela as ideias ruins, as sugestões malignas, a perversidade.
Eu Te peço, Senhor, que não permitas que a minha mente seja manipulada pelo mal.
Com Tua ajuda, bloqueio essa ação maligna.
Quero ser perfeito,
Quero amadurecer,
Quero ter a estatura de Jesus!
Manda o Teu Espírito Santo sobre o meu pensar,
Sobre o meu agir.
Que eu não aceite uma mente de aprisionamentos.
Quebra, Senhor, todas as correntes.
Tira-me todas as vendas.
Tira-me todos os cadeados.
Liberta-me, Senhor.
Amém.

CAPÍTULO 7

A CURA DOS OLHOS

O "olhar", ou seja, a atenção direcionada a alguém ou a alguma coisa, sempre revela a importância dada àquilo a que estamos voltados. Esse "olhar" vai além da mera função motora e da nossa capacidade de visualizar imagens. Carrega as percepções da mente e da alma.

Não por acaso, costumamos dizer que, enquanto órgãos físicos, os olhos deixam transparecer o que estamos sentindo. Um olhar pode demonstrar tristeza, alegria, medo, confiança, vergonha, admiração etc. Esse potencial ganhou destaque durante a pandemia, esse "novo normal" ao qual tivemos que nos adaptar. A máscara tornou-se um acessório obrigatório como medida de prevenção, porém, limitou a nossa expressão facial. O sorriso ficou escondido, mas aprendemos a sorrir com os olhos e a nos expressar mais pelo olhar. Isso reforçou o que já se dizia: que, às vezes, as palavras não são necessárias, pois os olhos falam.

Mas... E quanto ao que entra em nossa mente através dos olhos? Outro ditado afirma: "Os olhos são a janela da alma."

Nosso Senhor Jesus Cristo disse: "A lâmpada do corpo é o olho. Se o olho é sadio, o corpo inteiro fica iluminado. Se o olho está doente, o corpo inteiro fica na escuridão. Assim, se a luz que existe em você é escuridão, como será grande a escuridão!" (Mt 6, 22-23).

Para os antigos da cultura oriental, os olhos projetavam luz ou trevas. Segundo esse princípio, havia uma relação, uma interação entre a vida física e a vida da alma. Se fisicamente o olho está bom, terá luz eficiente para uma boa visão. Eles também acreditavam que existe uma luz espiritual que se propaga através dos olhos. Isso possibilita a "visão espiritual", correta em relação à luz divina e apta a enxergar os caminhos do bem. Entretanto, se o espírito está nas trevas, irradia só escuridão, mantendo-se em uma cegueira espiritual total, que reflete o mal e trilha o seu caminho.

Acenda a Luz

O mundo físico acompanha o espiritual. Por estarmos no escuro, precisamos da luz de Deus, que vem a nós por Cristo, Luz do mundo. Precisamos conhecê-Lo, estar n'Ele e com Ele. São Paulo escreveu aos Coríntios: "Portanto, se o nosso Evangelho continua obscuro, está obscuro para aqueles que se perdem, para os incrédulos, cuja inteligência o deus deste mundo obscureceu, a fim de que não vejam brilhar a luz do Evangelho da glória de Cristo, de Cristo que é a imagem de

Deus." E ainda: "Pois o Deus que disse: 'Do meio das trevas brilhe a luz!' Foi Ele mesmo quem reluziu em nossos corações para fazer brilhar o conhecimento da glória de Deus, que resplandece na face de Cristo" (2 Cor 4, 3-4.6).

Quando está escuro, não conseguimos ver nitidamente. É muito limitante viver na escuridão e não enxergar a beleza da Criação. A pior das cegueiras é, de fato, a espiritual, pois a grande maravilha a ser enxergada pelo ser humano é o que somos para Deus e o que Ele planejou para nós.

Assim, vale refletirmos: por que, não raro, vemos os fatos distorcidos? Por que não enxergamos com clareza e sempre atribuímos aos outros uma segunda ou má intenção?

Por que, muitas vezes, somos pessoas tão desconfiadas?

Isso denota falta de luz espiritual, de uma visão correta, limpa e clara. Só assim, com a luz divina, conseguimos compreender as criaturas de Deus.

As trevas, a escuridão, as potestades malignas que corromperam a mente de nossos pais também tentam contaminar nossa forma de ver, e acabamos enxergando a realidade de forma deturpada. Nesse sentido, a malícia é resultante de um olhar distorcido.

Jesus curou um cego de nascença num dia de sábado, o que gerou uma polêmica envolvendo vizinhos, fariseus, autoridades e até mesmo os pais do rapaz que havia sido curado. Quando o chamaram pela segunda vez para explicar como Jesus o havia curado, não aceitaram suas explicações e o expulsaram. Sabendo disso, Jesus foi conversar com o rapaz são e disse: "Eu vim a este mundo para um julgamento, a fim de que os que não veem, vejam e os que veem, se tornem cegos. Alguns fariseus que estavam perto dele ouviram isso e disseram: 'Será que também somos cegos?' Jesus respondeu: 'Se vocês fossem cegos, não teriam nenhum pecado. Mas como vocês dizem 'Nós vemos', o pecado de vocês permanece" (Jo 9, 39-41).

O texto trata da incapacidade de aprender e receber a verdade, bem como de quem fecha os olhos a ela. Não adianta buscar iluminação se rejeitarmos Jesus e continuarmos no pecado.

O ser humano precisa entender que nas trevas não há limites para a maldade, porque o pecado vicia e gera mais pecado. Uma pessoa que se afasta de Deus vive na escuridão e vê distorcidamente. Por isso, muitas vezes torna-se antissocial e até malévola.

Esse comportamento daninho ocorre até mesmo sem que percebamos. Uma senhora comentou comigo que, todas as vezes nas quais tenta conversar com o marido sobre fé e espiritualidade, ele a rechaça veementemente, alegando tratar-se de invenção deliberada da Igreja e da Bíblia. Para ele, as Sagradas Escrituras não têm valor. Seu filho reage da mesma forma.

Se alguém se identificou com a postura do marido, cuidado com a incapacidade de ver e aceitar o que é espiritual. Procuremos lembrar o que temos visto e deixado entrar pelos nossos olhos, pois é isso que acaba por ser instalado em nossa alma.

Santa Luzia é considerada a protetora dos olhos, em razão de ter preferido que os olhos fossem vazados e arrancados a renegar a fé em Cristo. Em uma parte da oração que fazemos pedindo sua intercessão, rezamos:

Ó, Santa Luzia,
Conservai a luz dos meus olhos
Para que eu possa ver as belezas da Criação.
Conservai também os olhos de minha alma

*E a fé pela qual posso conhecer o meu Deus
E compreender os seus ensinamentos.*

Como ver a beleza da Criação sem ter fé? Por exemplo, diante da beleza de uma flor, de uma rosa, que é um primor, como não ficar encantado? Os sentidos se aguçam, e a perfeição de Deus transborda. Quão limitados somos se enxergamos apenas de forma racional e não temos a visão espiritual!

Na Bíblia, a escuridão é símbolo de ignorância e da incapacidade de contemplar a graça do Espírito Santo. Veja que estamos vivendo na escuridão e na ignorância, como é o caso de pessoas que se aproveitam da miséria, da desgraça e do sofrimento alheio para enriquecer. Por mais absurdo que pareça, elas se sentem em paz roubando, desviando e sonegando.

Mesmo neste período tão sofrido de pandemia, inúmeros casos de corrupção vieram à tona. São espíritos que vivem em uma escuridão tão grande que, em vez de distribuírem solidariedade e empatia, se aproveitaram da desgraça coletiva para enriquecer ilicitamente. Senso de oportunidade? Não! Olhar perverso, que distorce. Olhar das trevas, que propaga escuridão.

Resgate a sua essência iluminada com Jesus e Seu Evangelho

O ser humano é mau?
Não, ele foi criado bom e se tornou mau pelo pecado. Por isso, para resgatar a sua essência, tem de viver segundo o Espírito.
Uma pergunta que ouvi muito: será que as pessoas vão mudar quando a pandemia do novo coronavírus passar?
Não quero ser pessimista, mas a grande maioria não mudará!

Na história da humanidade, muitos acontecimentos deveriam ter provocado mudanças nas pessoas, e isso não ocorreu. Não mudaram com Noé e o dilúvio. Não mudaram com a vinda de Jesus Cristo. Não mudaram com as aparições de Nossa Senhora. Não creio que mudarão pela pandemia. Depois que esta passar, por um tempo as pessoas ainda ficarão pensativas e resguardadas. Mas, caso não haja uma conversão real, rapidamente se esquecerão do que houve.

Muitos continuarão na escuridão porque não fizeram o encontro com a Luz de Jesus. O Evangelho está esmaecido para aqueles que não enxergam claramente e não entendem Cristo Crucificado e Ressuscitado.

Nossos olhos não são importantes somente para enxergar, mas para nos ajudar a entender as coisas do céu. Se a pessoa tem uma visão distorcida, não consegue entender e fica aquém.

São Paulo diz que o Evangelho "é o poder de Deus para salvar todos os que creem" (Rm 1, 16b). Mas será que estamos permitindo, hoje, que Jesus e Seu Evangelho sejam a Luz em nossa vida?

Volto novamente à reflexão: Satanás abriu os olhos de Adão e Eva para o fato do pecado. Antes eles enxergavam Deus e iam ao seu encontro, mas depois se esconderam do Pai e o pecado os cegou.

Existem pessoas que poderiam ser bem melhores do que são, mas, por preguiça espiritual, não o buscam ser. Há outros que carregam uma história de vida sofrida, de violência doméstica, negação, traumas, mas, pelo esforço, tornaram-se melhores em comparação aos que não passaram por tudo isso.

Então, eu pergunto: há esforço ou preguiça na sua vida? Vale lembrar que a preguiça é um pecado capital!

Paulo viu a Luz de Jesus no caminho de Damasco, caiu por terra e ficou cego. De perseguidor, foi chamado à conversão e à missão. Sua conversão ocorreu em um processo de queda e cegueira, com o rompimento da visão antiga. Com um olhar novo, iluminado, recebeu o Espírito Santo pelo Batismo e se tornou testemunha de Jesus Cristo. Foi aos gentios com o propósito de levar o Evangelho como Luz. Os gregos queriam sabedoria; os judeus, sinais; mas Paulo pregou a Luz de um Cristo obediente, crucificado, escândalo para os judeus e loucura para os pagãos (cf. At 9, 1-19; 1 Cor 1, 21-23).

Não chafurde na imundície do mundo

Não é pelos arquétipos nem pela lógica que chegamos a Deus. Quem faz essa busca somente pela racionalidade humana age como um cego a tatear procurando por Deus, porém sem conseguir encontrá-Lo.

A Luz foi uma das primeiras criações de Deus. Ele a fez para que brilhasse e descortinasse a Criação, que sem ela estaria nas trevas. Se nós ainda não escutamos a voz do Senhor dizendo "Haja luz em teus olhos", então estamos às cegas, procurando sem encontrar. Olhamos no espelho e não vemos o reflexo de Deus. E, conforme já percebemos, em muitos aspectos a cegueira espiritual é pior que a física.

Uma série de comportamentos contribui para esse estado, mas a princípio quero destacar dois deles.

Comecemos pela insensibilidade. Na parábola do rico e de Lázaro, quem disse que o primeiro era ruim? De fato, ele foi para o Inferno, enquanto Lázaro ganhou o Céu. Mas a parábola não diz que o rico era ruim e Lázaro, bom. Segundo o texto, o rico tivera tudo na vida, enquanto Lázaro não tivera nada.

Além disso, dá para notar o grau da insensibilidade daquele homem endinheirado, que todos os dias assistia com indiferença à agonia de Lázaro, alguém cujas feridas os cachorros vinham lamber e que procurava matar sua fome com as migalhas que caíam da mesa do rico. O texto não diz que o rico maltratara Lázaro; Lázaro, porém, também não fizera nada para ajudar e mudar a situação de penúria daquele pobre homem. Foi insensível e indiferente (cf. Lc 16, 19-31).

Quantas vezes nós passamos na rua, vemos uma pessoa caída e pensamos: "Pau-d'água, está assim porque merece!" O que nos faz ter um guarda-roupa cheio de coisas que nem usamos, enquanto outros passam frio? Ou um armário com comida estragando, com o prazo de validade vencendo, enquanto tantos irmãos passam fome? É a insensibilidade, a indiferença.

Outra conduta bastante comum é a estupidez ou torpeza moral. A luz da graça está diminuindo na alma humana porque o homem está se abrindo mais às influências malignas, que o impedem de ver e de apreciar as coisas divinas.

Esse mal prejudica a inteligência e endurece o coração da pessoa, que deixa de agir influenciada pelo Bem e ignora os ensinamentos da Palavra de Deus. Não consegue ser atraída por nada de bom, preferindo a torpeza e se deixando levar pela "encardidice" do mundo.

Todos conhecemos o Herodes do Novo Testamento, que teve a oportunidade de conhecer Jesus e aceitá-Lo como Salvador, mas preferiu mandar matar os meninos com menos de dois anos. Porém, há outro personagem, agora no Antigo Testamento, que costuma passar despercebido: o Faraó do livro do Êxodo.

Ele ouviu tudo o que Deus mandou Moisés transmitir e, mesmo assim, não cedeu em libertar o povo hebreu. Teve todas as iluminações para acreditar em Deus: primeiro viu o bastão de Moisés virar uma cobra e engolir as cobras dos bastões de seus magos. Depois viu as dez pragas atingirem o Egito. Testemunhou o rio virar sangue, as rãs avançarem, a lepra dizimar... E, embora prometesse a Moisés que deixaria o povo partir da escravidão do Egito, logo endurecia o coração novamente e não o fazia. Até que sobreveio a última praga terrível, que matou o seu filho e todos os primogênitos do seu povo.

Do que mais ele precisava para acreditar em Deus?

O Faraó foi muito infeliz, pois tivera todas as oportunidades e não as aproveitou. Não fez o que o Senhor Deus havia pedido.

E quanto a nós?

Guardadas as devidas proporções, também estamos vivenciando as pragas do mundo moderno, que Deus aproveita para nos corrigir. Vivemos assolados por pandemia, enchentes e secas devastadoras, terremotos, furacões, e já tivemos até gafanhotos ameaçando nossas lavouras. Diante dessas pragas, de que forma estamos agindo? Não pensemos apenas nos governantes, mas também na nossa responsabilidade, a minha e a sua. Quando algo terrível acontece, pensamos em mudar, mas, depois, assim como fez o Faraó, endurecemos o coração e ficamos na mesma.

Zele pelos seus pontos fracos e os vigie

O Demônio é, certamente, o autor do mal e do pecado. Mas não sou alienado e digo que ele age porque consentimos, e por isso somos pecadores. Ele provoca a vaidade, o orgulho, a mentira, o erro, as divisões, e nós aceitamos essas sugestões. Somos culpados porque permitimos. As paixões e os vícios obscurecem o espírito e degradam a alma.

Todos conhecem o termo "calcanhar de Aquiles", que denomina o ponto mais vulnerável que temos. Diz a lenda que

Aquiles, semideus e herói da mitologia grega, ao nascer, foi mergulhado por sua mãe no Rio Estige para que se tornasse imortal. A única parte que não ficou imersa na água foi o calcanhar do pé pelo qual ela o segurara. Aquiles, guerreiro forte e corajoso, foi morto por uma flecha envenenada que o atingiu justamente nesse seu calcanhar, o único ponto fraco.

Pela desobediência, Eva e a serpente são advertidas: "Eu farei com que você e a mulher sejam inimigas uma da outra, e assim também serão inimigas a sua descendência e a descendência dela. Esta esmagará a sua cabeça e você picará o calcanhar da descendência dela" (Gn 3, 15). O fato de a "serpente ferir o calcanhar que a esmaga" — e não só o dela, mas o de toda a sua descendência — pode ser útil também no contexto da reflexão sobre o "calcanhar de Aquiles". Em sentido figurado, Eva, Aquiles e toda a humanidade têm um calcanhar, um ponto fraco, a porta de entrada para as investidas de Satanás, dos maus sentimentos e do pecado. Isso indica que nossa natureza humana tem um ponto vulnerável, no qual sempre seremos tentados pelo Inimigo e por onde ele tentará nos atingir com seus dardos inflamados.

A serpente mordeu nossos primeiros pais nesse calcanhar. Embora não tenhamos sido diretamente atacados, o veneno inoculado ficou em nossa humanidade. Pelo erro deles, nossa natureza enfraqueceu-se. Ficamos envenenados. O Batismo nos confere a graça e apaga essa mancha, mas permanece em nós a tendência ao pecado, fazendo com que desenvolvamos paixões e vícios, com que a alma fique degradada.

Orgulho, ambição e interesse próprio também são sinais da cegueira espiritual. Nós nos deixamos levar pela máxima: "Que vantagem Maria leva?", ou ainda: "O que vou ganhar com isso?"

E logo se passa à prática de desonestidades, injustiças, fraudes, calúnias e seduções. Para ilustrar, cito o exemplo bíblico de Herodias ou Herodíades, neta de Herodes, rei da Judeia, que se divorciou para casar com o irmão de seu marido, o tetrarca Herodes Antipas. Esse fato causou grande escândalo por toda a região, pois era contrário à Lei de Moisés, que reprovava a união. Isso era considerado incestuoso, e João Batista não se calou. Denunciou a plenos pulmões o indigno enlace, dizendo a Herodes: "Pela nossa Lei você é proibido de se casar com a esposa do seu irmão" (Mc 6, 18). Isso tornou Herodíades sua inimiga mortal.

Acontece que ela tinha uma filha adolescente, Salomé, e a instruiu a apresentar-se dançando no jantar de aniversário do tetrarca, seu tio e padrasto. A jovem se apresentou para toda a corte e seduziu com sua dança Herodes Antipas. Ele ficou maravilhado e prometeu dar-lhe tudo o que ela pedisse. Sua mãe, então, incentivou-a a pedir a cabeça de João Batista. Embora o tetrarca simpatizasse com João Batista, acatou o pedido, mandou cortar sua cabeça e entregá-la em uma bandeja a Salomé, que a repassou para sua mãe (cf. Mc 6, 19-28). Salomé não era uma pessoa má, mas levou a fama. Nem sequer odiava João Batista: apenas fora manipulada pela mãe, que a usou para seus propósitos e desejo de vingança.

A educação viciada também leva à cegueira espiritual. Por isso, sempre alerto pais, avós, educadores, padres e catequistas sobre a importância de proporcionar às crianças uma educação virtuosa, alicerçada pela lucidez, pela fé e pela presença do Espírito. Caso contrário, contribuiremos para que cresçam cegos. Maus exemplos, vícios, incredulidade e desleixo com as coisas sagradas influenciam negativamente a mentalidade e os costumes das novas gerações.

Alguém pode alegar que Jesus não excluía ninguém do seu convívio, incluindo aqueles com comportamentos reprováveis ou nada convencionais. Todavia, esse era um gesto de acolhimento que sempre resultava em conversão. Infelizmente, os ambientes e as pessoas nefastas acabam nos influenciando de forma perniciosa. Como afirma o velho ditado, "diz-me com quem andas e te direi quem és". Também valorizo este outro: "Chega-te aos bons, serás um deles; chega-te aos maus, serás pior do que eles."

O uso da internet, essa ferramenta que nos foi e está sendo tão útil durante a pandemia, por exemplo, pode-se tornar inconveniente e até perigoso se for mal conduzido. Hoje não é necessário comprar uma revista pornográfica: basta abrir os canais digitais. Tenho escutado muitas partilhas sobre pornografia e problemas de traição on-line. Tudo isso ocorre sem que os casais precisem sair de casa. Sem falar nas tais *fake news*, que trazem informações deturpadas, criam sensacionalismo e destroem reputações. Um dos focos preferidos é a Igreja, assim como o Sumo Pontífice, além de bispos e padres.

Nesse sentido, devemos tomar muito cuidado na hora de escolher livros, filmes e programas de TV para assistir. Os olhos são as janelas da alma, mas também é neles que a cegueira se instala. Não me refiro, repito, a uma enfermidade física, e sim a influências negativas que acabam internalizadas depois de entrarem pelo nosso olhar. Devemos prestar muita atenção nos conteúdos que acessamos, de forma que sejam coerentes com a nossa fé, para não incutirem em nós valores ou comportamentos prejudiciais. Um bom cristão cuida do que entra pelas janelas da alma, permanece firme nas boas convicções e colabora com a graça, para que a Luz de Cristo irradie e se difunda em todos os ambientes.

Para rezar

Senhor Jesus, Luz do mundo, eu Te peço: ilumina minha existência.
Liberta meus olhos das imagens deturpadas.
Afasta o que obscurece minha visão espiritual.
Afasta o que me impede de ver com esperança o dia de amanhã.
Dissipa a névoa da incredulidade.
Dissipa a escuridão da mentira.
Dissipa as trevas do pecado.
Faz, Senhor, que a luz da fé, da Eucaristia, da Palavra e da verdade
Estejam sempre presentes em minha vida.
Não permitas, Senhor, que os ventos do mundo,
As atrações, as turbulências e as tempestades
Possam diminuir e apagar a Tua Luz
Que brilha dentro do meu ser.
Dá-me, Senhor, discernir o que entra pela janela da minha alma.
Que a Tua Luz permaneça em mim e que meus olhos, libertos e curados, possam irradiá-la a todos os que de mim se aproximarem.
Amém.

CAPÍTULO 8

A CURA DOS OUVIDOS E DA FALA

O ouvido é um dos principais canais acionados para a compreensão do mundo ao nosso redor. Por isso, começo salientando a diferença que existe entre ouvir e escutar. Muitos acham que se trata de duas capacidades iguais, porém existe uma diferença sutil e fundamental entre elas.

Ouvir é uma ação decorrente do sentido da audição, ou seja, da função do próprio ouvido. Portanto, trata-se de um ato mecânico e automático, que não depende da nossa vontade. Já escutar exige que se preste atenção, o que depende do nosso interesse com relação ao que ouvimos. Acionamos essa capacidade quando tentamos entender o que está sendo dito, bem como refletir e assimilar o conteúdo.

Por isso, quem escuta sempre ouve, porém quem ouve pode não ter escutado, porque ouviu sem dar atenção. É o que diz o ditado popular: "Entrou por um ouvido e saiu pelo outro."

Escutar pressupõe mente aberta. Consequentemente, fechar os ouvidos equivale a endurecer o coração demonstrando insensibilidade a um discurso ou partilha e falta de compreensão. Quantas vezes falamos e nosso interlocutor não dá a mínima! Isso ocorre dentro de casa, entre casais e em família, por exemplo, e de uma forma muito recorrente. A pessoa aciona o modo "ponto morto" ou, como dizem, "piloto automático": fica ali inerte, enquanto a outra fala sozinha.

Isso também denota aprisionamento da mente e paralisia espiritual.

Cuide do seu ouvido espiritual

Nem todos sabem, mas a estrutura do ouvido é uma coisa fenomenal. Esse órgão intercepta as ondas sonoras e as direciona para o cérebro, num mecanismo interessante e perfeito. Porém, quando algo no funcionamento desse sistema mostra-se desajustado, provoca desequilíbrio físico, zumbido, tonturas e o mal conhecido como labirintite. O nosso "ouvido espiritual", por sua vez, também é passível de patologias, principalmente quando estamos usando equivocadamente o dom de escutar.

Nós captamos muita coisa com os ouvidos — tudo, em suma, que se passa ao nosso redor. Quando há interferência, como um aparelho de TV ligado dentro de casa, perdemos parte da capacidade de compreensão, porque as informações cruzadas se sobrepõem, causando uma pane de percepção. A minha maior preocupação é que estejamos à mercê desse tipo de confusão quando se trata de ouvirmos e compreendermos a Palavra de Deus.

Nossos ouvidos captam frequências de som diversas, mas, com a idade, esse espectro tende a diminuir e ficamos mais limitados. Será que isso também não ocorre espiritualmente, não em razão do envelhecimento do corpo, porém com a deterioração e a artrose da alma?

O ouvido tem muito a ver com a fé. Temos o exemplo conhecido de Santo Agostinho, que estava no jardim de uma igreja em Milão enquanto Santo Ambrósio fazia uma de suas clássicas pregações. Agostinho era um orador e, a princípio, ficou interessado em descobrir a oratória de Santo Ambrósio, porém o conteúdo da palavra proferida pelo santo foi tão assertivo que desceu ao seu coração e teve suma importância para sua conversão.

São Paulo já alertava: "Pois chegará o tempo em que as pessoas não vão dar atenção ao verdadeiro ensinamento, mas seguirão os seus próprios desejos. E arranjarão para si mesmas uma porção de mestres, que vão dizer a elas o que elas querem ouvir. Essas pessoas deixarão de ouvir a verdade para dar atenção às lendas" (2 Tm 4, 3-4).

Infelizmente, estamos vivendo um tempo em que as pessoas se recusam a, ou simplesmente não aturam, ouvir a Palavra de Deus, preferindo dar atenção às coisas banais. Isso significa que estão surdas.

O profeta Jeremias também já comentou sobre essa surdez voluntária de quem se fecha à voz de Deus: "Eles taparam os ouvidos, pois não querem prestar atenção. Eles não querem ouvir a tua mensagem e zombam do que dizes" (Jr 6, 10). Trata-se de não querer escutar e não se abrir para a graça.

Volto aqui à parábola do rico e de Lázaro para ir além da problematização da cegueira espiritual e ressaltar algo constrangedor, desta vez referente ao dom da escuta. Quando o rico está no Inferno, grita e suplica a Abraão que mande Lázaro até a casa de seu pai para alertar seus irmãos sobre o risco de acabarem naquele lugar de tormento. Abraão responde que não. Afinal, se eles não tinham escutado nem Moisés, nem os profetas, mesmo se um morto conseguisse ressuscitar, eles não ficariam convencidos (cf. 16, 27-31).

O final da parábola tem um simbolismo precioso, pois todos corremos grande perigo se nos mantemos com os ouvidos tapados.

Deixe Jesus fazer uma Festa das Tendas na sua vida

Eis o sinal messiânico profetizado por Isaías: "Então os cegos verão e os surdos ouvirão; os aleijados pularão e dançarão, e os mudos cantarão de alegria. Pois fontes brotarão no deserto, e rios correrão pelas terras secas" (Is 35, 5-6).

Quando João Batista mandou perguntar a Jesus se Ele era aquele que havia de vir ou se deveriam esperar outro, em vez de responder apenas que "sim", Cristo enfatizou as obras que estava realizando e que estavam atreladas à ação do Messias no mundo: "Voltem e contem a João o que vocês viram e ouviram. Digam a ele que os cegos veem, os coxos andam, os leprosos são curados, os surdos ouvem, os mortos são ressuscitados e os pobres recebem o Evangelho" (Lc 7, 19.22).

Jesus é o Novo Adão, Aquele que inaugura a Criação nova (*Catecismo da Igreja Católica*, n. 504). Na primeira Criação, guardava-se o sábado; com a ressurreição de Jesus, guardamos o domingo. Deus fez Adão e Eva perfeitos; Jesus Cristo, por sua vez, quer fazer o homem e a mulher perfeitos novamente, promovendo sua volta ao Paraíso.

A Festa das Tendas ou dos Tabernáculos era uma das três mais importantes e populares do antigo Reino de Israel, e ainda hoje é celebrada. Citada em várias passagens bíblicas do Antigo Testamento, tinha duração de uma semana, período no qual as pessoas, por ordem de Deus, deixavam suas casas e habitavam em tendas construídas com galhos de árvores. Essas tendas são chamadas de *sucá* (*sucot*, no plural).

Tal evento tinha um conceito pedagógico e incluía também, é claro, um forte matiz espiritual. As tendas representavam a proteção divina, como lembra o salmista: "Em tempos difíceis, ele me esconderá no seu abrigo" (Sl 27, 5). Para o antigo povo judeu, tratava-se da festa da alegria, da fartura, marcando a colheita dos melhores frutos da terra, da uva, e o início da produção do vinho. Era um tempo de exultação espiritual, quando o homem purificado se reconciliava com Deus. Dividia-se, ademais, em ritos de ação de graças pela chuva, além de abrigar comemorações e louvor aos prodígios e sinais do Senhor Todo-poderoso, que acompanhara os hebreus na peregrinação pelo deserto para escaparem da escravidão no Egito e, no final dos tempos messiânicos, salvaria Israel do domínio de outros reinos contrários ao Reino de Deus. No antigo Israel acreditava-se que o Messias chegaria solenemente ao final dessa festa, e a partir desse dia seria uma contínua Festa das Tendas, um tempo de alegria que não acabaria jamais.

O profeta Zacarias universaliza esse momento. A salvação messiânica que a festa prefigura é para toda a humanidade (cf. Zc 14, 16-21). Amós, antevendo a vinda do Messias, profetizou: "Nesse dia, vou armar de novo a tenda de Davi que caiu. Vou tapar seus buracos, levantar suas ruínas, até reconstruí-la como era antes" (Am 9, 11).

O sinal de que o Reino chegou seria dado pela Festa das Tendas, quando finalmente o velho Adão voltaria a ter intimidade com Deus. Foi por isso que Pedro, no Monte Tabor, maravilhado diante da transfiguração de Jesus, quis fazer ali três tendas.

Ainda sobre o significado do evento, um fato interessante nos é relatado por João. Após os discípulos participarem da festa, Jesus também foi até lá, mas em segredo, porque queriam matá-Lo. No último dia, o mais importante e solene, provavelmente Ele tenha assistido ao magnífico cortejo de sacerdotes e ao rito do derramamento de água no altar, bem como à recitação dos Salmos. Fico imaginando Cristo, o Filho de Deus vivo, a Palavra eterna do Pai, Aquele que fora predito pelos profetas, ali presente e tendo de se esconder. Em certo momento, bradou: "Se alguém tem sede, venha a mim e beba!" Como dizem as Escrituras Sagradas: "Rios de água viva vão jorrar do coração de quem crê em mim" (cf. Jo 7, 10-38).

Jesus é o cumprimento de todas as promessas. Ele é o Messias que chegou e armou Sua tenda, Sua morada entre nós. Ele é o novo Adão, que vem fazer uma festa das tendas contínua em nossa vida.

Só que o velho Adão foi mordido pela serpente, aprisionou a própria mente, ficou cego, surdo, cobriu sua nudez e se escondeu. No contexto bíblico, essa camuflagem sugere vergonha. Portanto, em última instância, podemos dizer que a conduta errática do ser humano denota, sim, um profundo sentimento de vergonha diante de Quem nos criou. Somos os filhos envergonhados de um Pai que é todo Ele amor.

Contudo, o Senhor não desiste de nós e nos chama em voz alta para saciar a nossa sede. Ainda assim, isso nem sempre surte efeito, pois não estamos "escutando" a Palavra de Deus. Como nossos ouvidos estão tapados, não captamos a Palavra e não somos recriados no Espírito.

Peçamos, tal como São Tomás de Aquino: "Dá-me, Senhor, uma inteligência que te conheça."

Curando a surdez do espírito

Vejamos esta cura da surdez feita por Jesus:

Saindo de novo da região de Tiro, seguiu em direção ao mar da Galileia, passou por Sidônia e atravessou a região da Decápole. Levaram, então, a Jesus um homem surdo e que falava com dificuldade, e pediram que Jesus pusesse a mão sobre ele. Jesus se afastou com o homem para longe da multidão; em seguida pôs os dedos no ouvido do homem, cuspiu e, com a sua saliva, tocou a língua dele. Depois olhou para o céu, suspirou e disse: "Efatá!", que quer dizer: "Abra-se!" Imediatamente, os ouvidos do homem se abriram, sua língua se soltou e ele começou a falar sem dificuldade. Jesus recomendou com insistência que não contassem nada a ninguém. No entanto, quanto mais ele recomendava, mais eles falavam. Estavam muito impressionados e diziam: "Jesus faz bem todas as coisas. Faz os surdos ouvirem e os mudos falarem" (Mc 7, 31-37).

Analisemos o passo a passo. Primeiramente, Jesus tocou com o dedo a orelha do surdo. Ele toma a iniciativa, como se estivesse criando novamente. Cristo quer nos tocar, nos curar e nos recriar.

O querido Papa Emérito Bento XVI disse: "Muito além da surdez física, existe outra da qual a humanidade, mais do que curada, tem de ser salva: a surdez do espírito, que levanta barreiras cada vez mais altas à voz de Deus e do próximo, especialmente ao grito de socorro dos últimos e dos que sofrem, e que fecha o homem em um profundo e corrosivo egoísmo" (Conferência Internacional *Effetà*, 20 de novembro de 2009).

A surdez voluntária é aquela que nos afeta, fecha nossos ouvidos e nos isola. Queremos e achamos que a nossa verdade deve predominar. Trata-se da surdez de quem não quer acolher outro ponto de vista. Achamos que ninguém tem nada a acrescentar à nossa vida, pois somos detentores da verdade absoluta em relação a tudo, até mesmo a Deus.

Uma pessoa espiritualmente surda não é capaz de fazer um exame de consciência e não acolhe a ação do Espírito Santo. Mesmo que se depare com fatos reveladores, não os aceita. Nossa consciência é o lugar sagrado em que Deus fala, mas, se estamos surdos, não ouvimos.

Para curar aquele homem, Jesus podia ter lançado mão apenas da palavra *Efetá* ou de uma frase, como aquela que disse ao centurião: "Vai, teu servo está curado." Mas, nesse caso, Ele também tocou-lhe o ouvido. A esse respeito, São João Crisóstomo explicou: "Mesmo podendo curar com a palavra, Jesus colocou os dedos no seu ouvido para mostrar que o Seu corpo unido à divindade estava enriquecido com a virtude divina, bem como as Suas obras" (*Catena Aurea in Marcum*, VII, 4).

São Tomás de Aquino, por sua vez, ponderou: "Cristo veio salvar o mundo não somente pelo poder divino, mas também pelo mistério da própria encarnação. Por isso, muitas vezes, ao curar os doentes, não apenas se servia do poder divino, curando com uma ordem, mas ainda aplicando algo pertencente à própria humanidade" (*Suma teológica*, III, q. 44, a. 3, ad 2).

Jesus pegou a própria saliva e a depositou na língua do homem. Pode parecer repugnante, mas não é. Na Criação, isso equivale ao sopro do Espírito. Na cura, a saliva simboliza o Espírito Santo e deflagra o processo de recriação, para que o homem volte a ser a imagem e semelhança de Deus.

Diz o texto que Jesus olhou para o céu, deu um suspiro e disse ao homem: *Efatá*. Perceba a semelhança com a primeira Criação! Lembro-me do rito maravilhoso que ocorre na Missa dos Santos Óleos, na manhã da Quinta-feira Santa, quando o Bispo confecciona o óleo do Santo Crisma. No caso dos catecúmenos (aqueles que se preparam para receber o Batismo) e dos enfermos, os Bispos abençoam a essência; já o do Crisma é confeccionado com óleo e bálsamo e depois é consagrado. Durante a oração da consagração, o Bispo sopra sobre a âmbula (que se assemelha a um cálice) que contém o óleo, em alusão ao gesto da Criação. Como nossa Igreja é esplêndida! Costumo dizer que, se os católicos conhecessem 10% da riqueza dos nossos ritos e tradições, nunca deixariam a Igreja.

O suspirar de Jesus é como um sopro, uma força que saiu de dentro d'Ele. Não por acaso, encontramos em outra passagem que todos procuravam tocar em Jesus, uma vez que d'Ele saía uma força que a todos curava (cf. Lc 6, 19). E ainda: na cura da mulher hemorrágica, Jesus sentiu que uma força saiu d'Ele (cf. Mc 5, 30).

Curando a nossa fala pela Palavra Viva

No texto sobre a cura do surdo-gago, Jesus grita *Efatá* e tudo se transforma. *Efatá* é a palavra que faz o surdo ser curado.

Nós nos comunicamos por palavras, e isso nos distingue de todas as outras criaturas. Os animais conseguem se comunicar, mas não por palavras. Deus quis ser Palavra. Como João escreve no seu prólogo: "No princípio era o Verbo, e o Verbo estava com Deus, e o Verbo era Deus. E o Verbo se fez carne e habitou entre nós" (Jo, 1, 1.14).

Vale reforçar que quem tem problemas para ouvir não consegue falar com desenvoltura. No caso da surdez espiritual, as palavras são proferidas a esmo e sem qualquer serventia. Nós nos tornamos papagaios, com dificuldade de interpretar aquilo que ouvimos e apenas reproduzindo sons e mensagens vazias de sentido. Ficamos enfadonhos para nós mesmos e para quem nos ouve. É o famoso blá-blá-blá, a multiplicação de palavras inúteis.

O Espírito nos liberta da linguagem chula e ofensiva. Uma pessoa que profere palavras maldosas não escuta Deus e, por isso, tem a "boca suja". Não me refiro propriamente ao palavreado vulgar e grosseiro, que muitas vezes reflete a necessidade de autoafirmação de pequenos grupos ou guetos por meio de gírias, mas àquela fala construída deliberadamente com o intuito de ofender, agredir e destruir reputações.

Peçamos que o Senhor toque nossa boca, assim como faz com nossos ouvidos, para curá-la do contato com todo esse lamaçal de impropérios "com ou sem filtro" que todos os dias é despejado em nossos ouvidos e que insistimos em reproduzir. Que, a partir deste momento, a boca de cada um se transforme em veículo de resgate dos valores humanos e verdadeiramente cristãos.

Jesus sabe o que estamos passando, incluindo todas as nossas preocupações nesses tempos difíceis de pandemia. Também percebe a nossa cegueira, a nossa surdez, a nossa fala desprovida de fé. Mesmo assim, Ele está dizendo: "Deixa eu te curar."

Se tivermos a mente aberta, conseguiremos sentir o sopro de Jesus dentro de nós. Conseguiremos ouvir Sua voz dizendo:

Eu sei o que já sofreste, aquilo pelo que passaste.
Vieste a mim, e eu te dou a minha saliva.
Eu te dou o meu sopro.
Eu escutei tua oração, vi tuas lágrimas.
Eu te curarei.

É preciso compreender que, muito além dos males físicos, a cura realizada por Cristo diz respeito às nossas limitações espirituais. Contudo, em vez de escutarmos a Deus, seguimos atendendo aos comandos da nossa própria voz.

Segundo a Bíblia, Samuel foi o último dos juízes, além de sacerdote e profeta. Certa noite, ainda menino, enquanto ajudava o sacerdote Eli na adoração, ouviu chamarem seu nome. Correu até o seu mestre, mas este disse não tê-lo chamado e ordenou que voltasse a se deitar. Isso aconteceu por três vezes. Até que Eli compreendeu ser o Senhor quem chamava o menino e o instruiu. Assim, na quarta vez em que Samuel foi chamado, respondeu: "Fala, Senhor, que teu servo escuta" (cf. 1 Sm 3, 1-10).

Mal comparando, permiti-me afirmar que nós humanos ainda estamos na fase das três primeiras tentativas. Deus está nos chamando, mas nos encontramos tão insuflados do nosso próprio ego que só conseguimos ouvir a voz dos nossos caprichos.

Precisamos ouvir a voz de Deus e responder a Ele: "Fala, Senhor, que teu servo escuta!"

Mas não só. Não apenas atentar-se, mas também acreditar na Palavra de Deus. A respeito da dúvida que por vezes nos invade e se torna um empecilho à nossa fé, temos o relato do que aconteceu a Zacarias. Homem cumpridor das leis e preceitos do Senhor, sacerdote, ouviu o anúncio do anjo e duvidou. Pediu provas e ficou mudo. Somente voltou a falar, isto é, somente teve a cura de sua mudez e a recuperação de sua dignidade quando se cumpriu o que o Senhor, Aquele que é o Deus do impossível, prometera: o nascimento do menino que recebeu o nome de João (cf. Lc 1, 5-80). Trata-se de um exemplo interessante, que nos coloca entre a dúvida (Zacarias) e a confiança (Maria). Saiba mais sobre isso no capítulo 05 do livro O poder oculto.

Abra os ouvidos e solte a língua

Ainda sobre a cura realizada por Jesus, de acordo com o Evangelho, Ele não a realizou na frente dos demais, mas em particular, ou seja, afastou-se da multidão a fim de evitar uma exibição desnecessária. Quando levou o homem para um lugar à parte, fê-lo sentir que era amado. Para aquele homem excluído, que não ouvia, gaguejava e, por isso, era motivo de riso, aquilo foi libertador em todos os sentidos. Foi como se Jesus dissesse que ele era especial.

O Senhor também quer ter esse encontro particular conosco, então cabe a nós dar um tempo no burburinho à nossa volta e nos dedicarmos a isso com atenção plena. Devemos reservar um momento do dia para um contato a sós com Jesus e deixar que Ele nos devolva a saúde espiritual com Seu toque poderoso.

Deixemos que Jesus seja nosso fonoaudiólogo e nos ensine a falar sem gaguejar. Ele quer curar nossa surdez para nos sintonizarmos com Sua voz e escutarmos o que o Evangelho nos propõe.

Jesus está disposto a criar um novo Adão, um novo homem, um novo Reginaldo, um novo você, leitor. Quer dizer para nós um novo *Efatá*.

Somos especiais porque Ele nos ama do jeito que somos e está nos chamando para ficarmos próximo a Ele, em particular. É esse amor de Jesus que cura.

Adão, ainda no Paraíso, pecou e se afastou do amor de Deus. Compreendamos: Deus nunca deixou de nos amar; foi Adão, aturdido pela vergonha do pecado cometido, quem supôs não ser mais amado pelo Pai e se afastou. Como sempre afirmo, o "salário do pecado" é a distância de Deus. Não porque o Senhor se distancie, mas pelo fato de o pecado nos fazer acreditar que não somos merecedores do Seu amor. Isso é um perigo, porque aquele que não se sente amado por Deus torna-se uma pessoa infeliz, isolada em sua dor, como um animal ferido. Permanece com o coração endurecido, sem conseguir sentir a mensagem libertadora do Senhor.

No Sábado Santo, ocorre um hiato de tempo em que a Igreja fica vazia; não se celebra Missa, e os santos ficam cobertos até a Vigília Pascal. Nesse dia não há casamentos nem Batismos. É o vazio decorrente da morte de Jesus. Na Liturgia das Horas do Sábado Santo, consta uma homilia muito antiga, provavelmente do século IV, de autor desconhecido, que é impactante.

Diz que Jesus desceu ao Sheol, "a mansão dos mortos", e foi até Adão. No Catecismo da Igreja Católica, encontramos este trecho da referida homilia:

Um grande silêncio reina hoje sobre a terra; um grande silêncio e uma grande solidão. Um grande silêncio, porque o rei dorme. A terra estremeceu e ficou silenciosa, porque Deus adormeceu segundo a carne e despertou os que dormiam há séculos [...]. Vai à procura de Adão, nosso primeiro pai, a ovelha perdida. Quer visitar os que jazem nas trevas e nas sombras da morte. Vai libertar Adão do cativeiro da morte. Ele que é ao mesmo tempo seu Deus e seu filho. [...] "Eu sou o teu Deus, que por ti me fiz teu filho. [...] Desperta tu que dormes, porque Eu não te criei para que permaneças cativo no reino dos mortos: levanta-te de entre os mortos; Eu sou a vida dos mortos" (n. 635).

Nosso Senhor é maravilhoso, e a Sua misericórdia e salvação se estendem a todos. Não façamos como Adão, que só teve a oportunidade de O conhecer no Sheol. Ele quer que escutemos a Sua voz.

Como já vimos, a incapacidade de ouvir causa dificuldade para falar. Consequentemente, não sabemos rezar. Ficamos prisioneiros da falta de comunicação de nossas ideias, opiniões, vontades e necessidades. Aí começam as desculpas: "Hoje estou muito cansado até para rezar", "Não tenho tempo" etc. Enquanto isso, o Senhor segue convidando: "Vem, você é especial para mim!"

Já pensou se aquele homem surdo-gago tivesse se recusado a ir com Jesus? Se Pedro, Tiago e João não tivessem subido o Tabor?

Sempre há um convite que nos chega pelo ouvido. Mas... e se estamos surdos?

Por isso, Jesus nos toca. Os sacramentos são toques de Jesus. Unção dos enfermos, toque. Crisma e Batismo, toques. Eucaristia, toque do Senhor.

Dentro do Batismo, existe um rito complementar, que é realizado logo após a entrega da luz (da vela acesa). Nele, o celebrante toca os ouvidos e a boca do batizando, dizendo: "O Senhor Jesus, que fez os surdos ouvirem e os mudos falarem, te conceda que possas logo ouvir a Sua palavra e professar a fé, para louvor e glória de Deus Pai."

O Senhor, pela ação do Espírito Santo, abre os ouvidos do batizando e solta sua língua, para que ele ouça e acolha a Palavra de Deus, professando sua fé. Evidentemente, a criança estará apta a isso quando chegar à idade da razão.

De fato, a Igreja é rica em ritos. Nada foi inventado ou existe por acaso, tudo é fundamentado nos Evangelhos, na tradição dos Apóstolos, formando uma conexão, uma ligação perfeita em torno dos mistérios de Jesus Cristo, que repetiu incessantemente: "Quem tem ouvidos para ouvir, ouça."

Deus, Ele próprio, tem ouvidos e escuta aquilo que falamos. Não só *ouve*, mas *escuta* as orações do Seu povo.

Para rezar

Senhor Jesus, Deus de bondade, misericórdia e amor,
Dá-me a virtude da paciência e da serenidade para escutar o outro.
Toca meus ouvidos e abre-me à Palavra de Deus.
Destrava minha língua para anunciar Teu Evangelho.

Sopra, Senhor, o Espírito Santo em meu ouvir e em meu falar
E faz-me testemunha da Tua verdade que edifica e santifica.
Concede-me, Senhor, uma inteligência que Te conheça.
Confere-me um zelo que Te procure.
Ilumina-me com uma sabedoria que Te encontre.
Abençoa-me com uma vida que Te agrade.
Dá-me uma perseverança que espere por Ti confiante,
E uma confiança que finalmente chegue a possuir-Te.
Amém.

CAPÍTULO 9

A CURA DO CORAÇÃO

O coração é um órgão vital do corpo humano, ao qual também são associados os nossos sentimentos, especialmente o amor. Embora saibamos que o órgão referente aos pensamentos, sentimentos e emoções é o cérebro, metaforicamente continuamos a atribuir ao coração o centro das emoções humanas.

A palavra "coração" deriva do latim *cor* ou *cordis*. Na língua hebraica, o termo equivalente é *lev*, que também representa nossa vida interior, o âmago do nosso ser.

Por tradição, é o coração que nos faz sentir, amar, chorar, ter empatia e compaixão. Também é do coração humano que saem os maus sentimentos. Ou seja, de acordo com a nossa espiritualidade, é do coração que tiramos o bem e o mal. Assim, para além da importante função orgânica de bombear o sangue para todo o corpo, vamos tratar da cura do coração segundo uma percepção muito mais ampla, que remete à intimidade do ser humano.

No contexto bíblico, o coração é o nosso centro existencial e abrange a totalidade do ser humano, incluindo a consciência e o livre-arbítrio. Cuidar do coração, portanto, não é uma questão de sentimentalismo, mas de ética espiritual, entendida aqui como aquilo que nos orienta para o bem, para a justiça e para a verdade. Segundo as Escrituras, Jesus disse: "Porque o coração deste povo se tornou insensível. E eles ouviram de má vontade e fecharam os olhos, para não acontecer que vejam com os olhos e ouçam com os ouvidos e entendam com o coração, e então se convertam, e assim eu os cure" (Mt 13, 15). O coração é, dessa forma, diretamente responsável pela nossa cura e libertação.

Integre o seu coração ao Sagrado Coração de Jesus

Voltemos novamente ao Gênesis, à Criação. Até então, tudo era perfeito; o ser humano foi criado para que tivesse unidade e coerência. Mas, quando o pecado entrou no mundo, nosso coração adoeceu. É por isso que precisamos de cura.

Para desenvolvermos a maturidade que nos torne objetivos, lúcidos, cordiais, sensíveis, ardorosos, compassivos, mansos, intuitivamente racionais e acolhedores, sempre direcionados para a verdade e a justiça, precisamos de um coração integrado ao protótipo dos protótipos: o Sagrado Coração de Jesus Cristo.

Ter todas as áreas do ser preenchidas de Cristo nos leva a um amadurecimento consciente, pleno, inteligente e feliz.

São João Paulo II nos abençoou com uma série de catequeses de extrema beleza intitulada *Teologia do corpo*, na qual afirma: "O coração engloba toda a dimensão de nossa humanidade como a fonte e a força motriz de nossas intenções."

Como sabemos, nossas intenções e ações nem sempre são transparentes, até mesmo na vida espiritual. Santo Inácio de Loyola, por exemplo, chamava muito a atenção para as "intenções secundárias". Pegando esse gancho, reflitamos juntos: em nossa vida religiosa, em que medida somos movidos por um interesse pessoal ou não declarado?

Muitas vezes, essa "intenção secundária" pode se tornar perigosa, principalmente quando não nos conduz a um caminho de retidão.

A beleza do ser humano e da sua vida interior emana do coração, como disse São Pedro: "Pelo contrário, sua beleza deve estar no coração, pois ela não se perde; ela é a beleza de um espírito calmo e delicado, que tem muito valor para Deus" (1 Pd 3, 4).

Na interpretação cristã, o coração é o local das escolhas decisivas, de onde brotam a misericórdia, a compaixão, a pureza, a justiça e a paz, valores e virtudes fundamentais para a vivência das bem-aventuranças. Por isso, temos de estar alertas para identificarmos em que ritmo nosso coração pulsa e para onde se inclina. Por exemplo, se é bondoso e pulsa nesse ritmo, nossas ações assim o serão. Se é egoísta, teremos atitudes egoístas. Se pulsa em um ritmo de ódio, nossos atos expressarão ódio.

Todos temos reparos a fazer nesse quesito. Eu tenho 52 anos de vida, 26 de sacerdócio, e vivencio um embate contínuo pela integração espiritual e pela santificação que ocorre no coração. A luta do Bem contra o Mal ocorre nas profundezas dos nossos corações.

Por isso, eu pergunto: como está sua afetividade?

Sempre temos de ponderar como estão nossos afetos, porque uma pessoa que não é afetivamente madura torna-se desequilibrada e põe tudo a perder.

Nos relacionamentos amorosos, o coração maduro é aquele que se pergunta se está conseguindo fazer o outro verdadeiramente feliz. Um coração egoísta, por sua vez, só quer ser amado e receber atenção. Isso denota imaturidade emocional, e pobre de quem é casado com uma pessoa assim!

Recebo sempre partilhas dolorosas, e já me perguntaram quais são os sentimentos que tenho quanto a isso. Sinto compaixão, solidariedade... Muitas vezes me alegro e me emociono com tantas histórias de graças recebidas. Por outro lado, confesso que fico irritado quando percebo que alguém está "rastejando", "mendigando" atenção, sendo maltratado e até se anulando; sinto vontade de dar um tratamento de choque para ver se essa pessoa "acorda" e se dá conta de que aquela situação não é saudável e não tem nada a ver com amor e companheirismo. É claro que a acolho, que rezo com e pela pessoa, mas não posso deixar de perceber que o seu coração está aprisionado, e por isso sucumbe nessas áreas de afetividade, sexualidade e desejos.

O filósofo Blaise Pascal (1623-1662) disse uma frase célebre sobre essa confusão de sentimentos na qual nos encontramos imersos: "O coração tem razões que a própria razão desconhece."

Seria maravilhoso descobrirmos quais são as razões ocultas do nosso coração, aquelas que a nossa própria mente desconhece.

Encontrar o fio da meada seria o início do nosso processo de cura, porém continuamos mentindo para nós mesmos.

Deixo aqui uma provocação ao nosso discernimento: qual seria a razão oculta do nosso coração doente?

Nós vivemos uma pluralidade de "eus", com comportamentos diferentes dentro de casa, no trabalho, na igreja, entre amigos etc. Isso provoca inquietações que podem gerar consequências mais sérias. É preciso conhecer as razões que nos levam a agir de determinada maneira. "Guarda o teu coração acima de tudo, porque dele provém a vida" (Pr 4, 23).

Muitas vezes, o nosso coração precisa ser domado, harmonizado, curado em Jesus Cristo. Precisamos pedir uma gota do Seu Sangue Redentor para curar nosso coração cheio de farpas e feridas.

Cure a dureza do coração

Existem algumas patologias espirituais que acometem o nosso espírito, como é o caso da dureza do coração.

Um coração duro impede os relacionamentos, pois torna a pessoa inflexível, incapaz de ser contrariada e até de se relacionar com os outros. Não são poucos os casos de pessoas que não estão preparadas para casar, por exemplo, e antes de dar esse passo necessitam passar por um rigoroso discernimento de vocação familiar.

Casar e dividir a vida vai muito além de necessidades sexuais ou de qualquer outra obrigação matrimonial, como cuidar da casa e dos filhos. Implica fazer uma escolha diária de abrir mão da segurança do próprio mundo por amor, o que demanda uma série de concessões. A mais difícil delas talvez seja abrir mão da individualidade, algo que é muito incentivado pela nossa cultura consumista.

Todavia, a beleza da entrega a um ideal ou a uma relação não é prerrogativa apenas de quem casa. Muitos não o fazem não por egoísmo ou dureza de coração, mas para se dedicar aos cuidados de familiares e também por terem se consagrado a Deus, como é o meu caso. Essas pessoas não são solitárias; pelo contrário, têm o coração generoso e vivem cercadas de afeto.

A pessoa de coração duro é aquela que não ouve conselhos nem aceita críticas. Vive uma existência hermeticamente fechada, sufocando qualquer chance de progredir. Isso a impede de se tornar um ser humano melhor, e nem a idade alivia tamanha dureza. Tenho certeza de que as lambadas da vida amansam qualquer um, até os cavalos mais indomáveis, mas não os corações endurecidos, porque estes não querem mudar. A inflexibilidade crônica também impede as pessoas de aceitarem que têm o coração adoentado, e assim elas seguem seu caminho tortuoso, ignorando qualquer ajuda do próximo e, principalmente, de Deus.

A despeito dessa carapaça maciça, o doente de coração duro esconde dentro de si muitas feridas e fragilidades. Não consegue ter paz, sofre muito, não aprende com os erros... Mesmo com as provações pelas quais passa, é incapaz de perceber que é possível mudar com a ajuda e a graça divinas.

Assim falou o Senhor, pelo profeta Jeremias: "Escutai a minha voz, e eu serei o vosso Deus e vós sereis o meu povo. Andai em todo caminho que eu vos ordeno para que vos suceda o bem. E não escutaram nem prestaram ouvido; andaram conforme os seus desígnios, na dureza de seu coração perverso, e me deram as costas em vez da face" (Jr 7, 23-24). Infelizmente, continuamos procedendo dessa forma alienada.

Por que, mesmo diante de uma pandemia, ao invés de melhorar, estamos piorando?

A resposta pode ser encontrada na tradição bíblica, segundo a qual o que mais desumaniza o ser humano é um coração endurecido, fechado em si mesmo, que não acolhe e não se deixa guiar pelo Espírito Santo. Assim, ele permanece fechado à graça de Deus, que respeita nossa vontade e não viola nosso coração. Todo o nosso ser fica então comprometido, e a nossa espiritualidade, lesionada. Isso nos aprisiona e nos paralisa. A pessoa se volta só para si: os olhos não enxergam em razão da cegueira espiritual, os ouvidos não escutam, os músculos se atrofiam, e ela definha porque está estagnada e submersa no egoísmo.

Deixe o Médico dos médicos operar um transplante em seu coração

Acima de tudo, a dureza de coração nos afasta de Deus. Vale lembrar que não se trata de um pecado contra o Espírito Santo; este é, antes, uma consequência dela. Criamos barreiras que podem se tornar intransponíveis — não da parte de Deus, que é pura paciência e misericórdia, mas da própria pessoa, que não aceita a salvação, rejeita Deus e opta pelo Inferno.

Como já mencionei, essa patologia espiritual do coração cega, ensurdece, emudece, aprisiona. Faz-nos perder a oportunidade de descobrir o que há de melhor nos outros, de desfrutar do convívio familiar em volta de uma mesa e de tantos outros momentos enriquecedores, porque o que sobressai é sempre a amargura, a desconfiança, a desavença e o isolamento.

"Padre, isso tem cura?", você pode perguntar.

Quem conhece o meu jeito direto pode até estranhar e achar que virei adepto de charadas e enigmas, mas longe disso. Respondo reforçando a virtude da esperança, porque existe, sim, um tipo de "transplante" que resolve o problema da dureza de coração de vez. Nada de ficar na fila à espera de um doador ou pagar um bom plano de saúde. Basta que aceitemos o que nos diz o Senhor: "Eu lhes darei um coração novo, porei no seu íntimo um espírito novo, removerei do seu corpo o coração de pedra e lhes darei um coração de carne" (Ez 11, 19).

"Eu lhes darei um coração novo", diz o Senhor a mim e a você. O mundo pode ter feito nossos corações se fecharem e ficarem amarrados, tristes, mas esta é a promessa feita para nós!

Temos um Salvador, ou seja, a resposta e a solução estão em Jesus Cristo. N'Ele se cumprem todas as promessas.

Você aceita?

Então, peça:

Senhor, dá-me um coração novo, obediente,
Um coração capaz de amar e de seguir Teus ensinamentos.
Realiza em mim essa promessa.
Tira, Senhor, esse coração de pedra
E dá-me um coração de carne.
Amém.

O último ato perpetrado contra Jesus foi a lança do soldado transpassando Seu Coração, quando já estava morto. Ao perceberem que os dois ladrões crucificados com o Senhor ainda estavam vivos, quebraram suas pernas para não conseguirem manter o corpo apoiado e continuar respirando, e logo morreram asfixiados. Quanto a Jesus, viram que já estava morto, mas ainda assim o centurião transpassou Seu coração com uma espada.

Por quê?

Aquele era um Coração que incomodava o mundo dos poderosos e tornou-se o alvo de toda a sua sede de violência e retaliação. N'Ele estava contida a mais pura essência do amor, e então fizeram questão de violá-lo, feri-lo, cortá-lo. E, quando o soldado deu o derradeiro golpe, Jesus manifestou sua última resposta: mesmo morto, do Seu Coração brotaram sangue e água, como fonte de misericórdia.

É por isso que eu tenho tanta devoção às Santas Chagas de Nosso Senhor Jesus Cristo, pois nelas está o mistério da nossa salvação, a cura da nossa alma.

Faça do seu coração o "altar de Deus"

Os Evangelhos mostram que Jesus agia com compaixão. Ele era um homem compassivo, misericordioso, e nos ensinou a sermos misericordiosos como nosso Pai é misericordioso. Se não julgarmos, não seremos julgados; se não condenarmos, não seremos condenados. Com a mesma medida de misericórdia, "calcada, sacudida, transbordante", que medimos os outros, seremos medidos.

Adão quis entregar o coração à serpente, e nós continuamos fazendo isso. Nosso coração está enrugado, pesado, e não amamos a não ser a nós mesmos.

Compassivo, Jesus disse: "A boca fala do que o coração está cheio" (Mt 12, 34). Então, se a nossa boca está "suja" e é capaz de proferir palavras horríveis, de praguejar, de inventar mentiras, é porque nosso coração está imundo.

Segundo o Papa Francisco, Jesus deseja que o nosso coração não se torne um lugar de turbulência, desordem e confusão. Em sua homilia na Santa Missa realizada no estádio Franso Hariri, em Erbil, Iraque, o Sumo Pontífice explicou como purificá-lo:

O coração deve ser limpo, posto em ordem, purificado. De quê? Das falsidades que o sujam, das simulações da hipocrisia. Todos nós as temos. São doenças que fazem mal ao coração, que mancham a vida, tornam-na hipócrita. Precisamos ser purificados das nossas seguranças falaciosas, que trocam a fé em Deus pelas coisas que passam, pelas conveniências do momento. Precisamos que sejam varridas do nosso coração e da Igreja as nefastas sugestões do poder e do dinheiro. Para limpar o coração, precisamos sujar as mãos: sentirmo-nos responsáveis e não ficarmos parados enquanto sofrem o irmão e a irmã. Mas como purificar o coração? Sozinhos, não somos capazes; temos necessidade de Jesus. Ele tem o poder de vencer os nossos males, curar as nossas doenças, restaurar o templo do nosso coração.

São João, o discípulo do amor, que fez a experiência de recostar a cabeça no peito de Jesus e integrar seu coração ao ritmo do coração do Mestre, escreveu: "Nada que é deste mundo vem do Pai. Os maus desejos da natureza humana, a vontade de ter o que agrada aos olhos e o orgulho pelas coisas da vida, tudo isso não vem do Pai, mas do mundo. E o mundo passa, com tudo aquilo que as pessoas cobiçam; porém aquele que faz a vontade de Deus vive para sempre" (1 Jo 2, 16-17).

Tudo neste mundo passa. O que fica é o Bem, o amor que dedicamos a Deus e ao próximo.

Se queremos fortalecer esse amor, devemos lutar contra a luxúria desenfreada, sobretudo a concupiscência da carne, do orgulho e do poder. Nossas armas, para isso, são a prática da caridade, que alicerça todas as outras virtudes; a confissão; a vida de oração; a meditação da Palavra de Deus; e a vida sacramental.

Evitemos, pois, as situações em que o Inimigo tenha maiores oportunidades de sussurrar tentações. Mantenhamos a fé no horizonte da mente e os olhos fitos em Cristo. Então, como Pedro, andaremos sobre as águas revoltas das tentações.

Se colocarmos uma carga de pedra em uma pomba e a soltarmos para voar, ela não vai conseguir e rastejará como uma minhoca. O Senhor prometeu remover o nosso coração de pedra e nos dar um de carne, para ficarmos mais leves e felizes.

Jesus fez muitas curas, mas, quando curou o paralítico, disse: "Teus pecados estão perdoados." Assim, a cura de Jesus tem um propósito, que é justamente aliviar o coração. Em todas as Suas curas, Ele quer tocar o coração humano, e não apenas os olhos, os ouvidos, a fala. Por isso, o último ato de violência contra Ele foi no Seu coração, cujo objetivo é tocar todos os corações.

Abramos nosso coração e façamos dele aquilo que São Serafim de Sarov sabiamente chamou de "altar de Deus".

Para rezar

> Senhor, Deus de misericórdia e infinita bondade,
>   coloco-me na Tua presença
> E peço-Te que liberte meu coração.

Tira, Senhor, o meu coração de pedra e coloca em mim um coração novo.
Inspira-me propósitos de mudança, de conversão e de transformação.
Dá-me, Senhor, um coração manso e compassivo como o de Jesus.
Dá-me, Senhor, um coração grande, generoso,
Que possa acolher, como o Bom Samaritano, aqueles que estão caídos na estrada da vida,
Aqueles que foram golpeados pelo sofrimento.
Dá-me, Senhor, olhos para ver a necessidade do próximo,
Dá-me ouvidos atentos ao clamor dos que sofrem,
Dá-me mãos dispostas a acolher aqueles que necessitam da minha ajuda.
Que da minha boca e do meu coração saiam palavras de consolo e conforto.
Eu Te agradeço, Senhor, porque sei que estás me curando e libertando.
Amém.

CAPÍTULO 10

LIBERTAÇÃO DOS PÉS E DO AGIR DAS MÃOS

Responsáveis por nos levarem aonde queremos, os pés são fundamentais para nossa locomoção e estabilidade. Eles formam a base que nos mantém erguidos.

Seja como meio de locomoção, seja pelo fato de constituírem o principal ponto de apoio do corpo, os pés carregam um forte simbolismo relacionado a nossas capacidades e limitações: refere-se à lucidez ("ter os pés no chão"), à resiliência ou superação ("cair e levantar", "estar em pé diante da vida"), ao fracasso ("pés afundados na lama"), e assim por diante.

Posicionados na base do corpo, eles são a parte da nossa estrutura física que mantém contato direto com o solo. Na compreensão da Bíblia, isso confere aos pés um significado especial, tanto positiva quanto negativamente. Mais uma vez cito o exemplo de quando Moisés se aproximou da sarça ardente e Deus pediu que ele tirasse as sandálias, pois aquele era um solo santo (cf. Ex 3, 5). O mesmo pedido foi feito pelo chefe do exército do Senhor a Josué (cf. Js 5, 15). Isso quer dizer que trazemos nos pés o profano, a impureza dos lugares por onde passamos.

Mais do que energizar e recarregar as baterias, tocar com os pés na terra simboliza a humildade, pois nos lembra que somos feitos daquela matéria. Nós somos pó! Como dizia o Padre Antônio Vieira: "Hoje pó levantado, amanhã pó deitado", mas, agora e sempre, pó.

O Antigo Testamento descreve um ritual de consagração que inclui uma parte do pé:

Então Moisés pegou outro carneiro, o animal para a ordenação dos sacerdotes, e Aarão e os seus filhos puseram as mãos na cabeça do carneiro. Moisés matou o animal e, com o dedo, pôs uma parte do sangue na ponta da orelha direita de Aarão, no dedo polegar da mão direita e no dedão do pé direito. Depois, fez com que os filhos de Aarão chegassem mais perto e pôs sangue na ponta da orelha direita deles, no dedo polegar da mão direita e no dedão do pé direito. Em seguida, com o resto do sangue, borrifou os quatro lados do altar (Lv 8, 22-24).

Esse ritual equivale ao grito de *Efatá* que curaria o surdo, conforme vimos anteriormente. Ao fazê-lo nas orelhas, buscava a abertura dos ouvidos para escutar a Palavra de Deus; no polegar da mão direita, combatia a mão fechada, mesquinha, para que se abrisse à caridade e cumprisse a vontade de Deus; por fim, no polegar do pé direito, para não desviar do caminho do Senhor e andar sempre conforme a Sua Lei.

Trilhe os caminhos de Deus

"Quando penso 'vacilam-me os pés', sustenta-me, Senhor, a vossa graça" (Sl 93 [94], 18).

Precisamos caminhar nos caminhos de Deus. Portanto, nosso grande questionamento deve ser: será que realmente estamos seguindo as pegadas do Senhor?

Frei Carlos Mesters, frade carmelita holandês e missionário no Brasil, além de grande especialista na Bíblia, explica sempre que a vida humana é uma constante caminhada. Em outras palavras, a existência humana pode ser comparada a uma jornada.

Como você se sente nessa jornada?

Uma antiga canção diz:

Caminheiro, você sabe, não existe caminho.
Passo a passo, pouco a pouco, o caminho se faz.

Nosso caminho se faz caminhando, e quem parou por causa de suas prisões deixou de crescer. A mulher de Ló parou, olhou para trás e se transformou em uma estátua de sal (cf. Gn 19, 16).

A vida é uma eterna caminhada, aqui e no Céu. Não existem fronteiras para quem caminha com o Senhor. Sempre podemos aprender algo novo. A cada passo, crescemos no aprendizado e nas experiências. Cada trecho percorrido e cada obstáculo superado nos auxiliam a compreender de forma mais profunda os fatos vividos. Estamos em construção e, conforme avançamos no caminho espiritual, dedicamos mais tempo na busca do Criador, deixando de lado nossos planos pueris e alcançando as coisas do alto.

Quem segue os passos de Jesus tem coragem de pedir:

Senhor, liberta meus pés.
Senhor, tira os grilhões.
Tira o que dificulta e torna cansativo meu caminhar,
Tira o peso que tornam meus passos mais curtos.

Esse é o caminho da cura. À medida que progredimos no caminho espiritual, temos de nos libertar de todas as amarras, deixar de proceder em benefício próprio ou buscar apenas o que nos traz satisfação, optando pela trilha que conduz ao próximo. O coração endurecido aprisiona nossos pés e nos impede de caminhar em direção ao outro. Não reconhecemos e nem seguimos as pegadas de Cristo.

Santo Inácio de Loyola foi soldado e, após ser gravemente ferido na perna durante um combate, aprendeu muito com a dor. Para ele, o caminho da cura não se restringe ao percurso da pessoa em direção a Deus. Para cada passo empreendido por nós, vários já foram dados por Deus ao nosso encontro.Ególatras incorrigíveis, não entendemos que se aproximar do Pai é uma via de mão dupla: ao primeiro movimento em Sua direção, o Senhor já veio e continua vindo até nós.

Podemos ter a certeza de que, independentemente dos caminhos por onde andamos, se, em nossos pés, carregamos impurezas, o Senhor nos perdoa e nos cura. Basta que desejemos romper com os grilhões, retirar a pedra pesada dos vícios que nos aprisionam. Quem se encontra em uma "vida torta" tem todas as chances de sair desse caminho de erro e voltar para Deus.

Depois que Deus criou o primeiro homem e mulher, em perfeita união entre si e com Ele, os dois passeavam juntos. Mas nossos ancestrais pecaram e se esconderam do Pai. Deus foi em sua direção, e desde então não se cansa de nos buscar. Veio em direção ao Seu povo pelos profetas e, depois, enviou Seu único Filho, que, encarnando-Se, assumiu a forma humana. Conforme atesta a Carta aos Hebreus, ao encarnar Ele assumiu nossa condição humana em todos os seus aspectos, menos no pecado (cf. Hb 4, 15).

Podemos dizer que Deus é um eterno peregrino em busca do ser humano. E nós necessitamos urgentemente aderir a essa dinâmica. Em geral, temos um viés errado ao pedirmos: "Dá-me, Senhor, esta bênção." Achamos que a graça é estática, acontece e pronto, mas isso é um erro. A graça é um poder dinâmico, vivo, implica um movimento de adesão ao caminho da salvação. Muitas vezes, esse caminho pode passar pela cura física.

É interessante perceber que, como bem diz o Antigo Testamento, Deus sempre caminhou com o povo no deserto rumo à Terra Prometida. Durante o dia, o sinal de Sua presença era uma nuvem que os cobria; e, à noite, uma bola de fogo que os norteava e aquecia.

O evangelista Marcos mostra Jesus em uma constante caminhada de um lugar para outro. Ele não parava e caminhou até sobre as águas. Certa vez, quando estive na Terra Santa, perguntaram-me, em tom de brincadeira, se eu havia tomado "chá de canela de cachorro", uma expressão típica daquela região. Perguntei o que significava, e me disseram que ando muito rápido. Talvez Jesus tenha tomado "chá de canela de cachorro", porque caminhava o tempo todo.

Além disso, quando Jesus curou o cego Bartimeu, este jogou sua coberta e passou a segui-Lo, louvando as maravilhas do Senhor. A sogra de Pedro, por sua vez, levantou-se e pôs-se a servi-los. Maria Madalena foi liberta de sete espíritos e começou a seguir Jesus. Geralmente, depois da cura, as pessoas caminhavam atrás do Senhor, mesmo quando Ele pedia que não contassem sobre os milagres a ninguém. Iam atrás, em caminhada, proclamando a graça.

E nós, há quanto tempo estamos estagnados, sem sair do lugar? Constantemente, temos que nos perguntar:

"Hoje, eu sou melhor do que já fui?"

"Sinto que avancei?" (Atenção: não se trata de progresso econômico, aquisição de bens nem mesmo de sucesso profissional!)

"No meu interior, percebo que dei passos adiante? O que mudou?"

"Como cristão, fiquei melhor em quê?"

"Na vivência dentro da Igreja, melhorei em quê?"

"No 'eu' de hoje, sou melhor que o 'eu' de ontem?"

Quando perguntavam a São Pio de Pietrelcina se estava bem, ele respondia com uma frase de que gosto muito: "Hoje melhor que ontem e amanhã melhor que hoje."

Será que isso também está acontecendo conosco, ou apenas deixamos a vida nos levar? Triste realidade pensar que a cada dia caminhamos mais um passo em direção à morte, e não para a realização em Deus!

São Paulo escreveu aos Efésios: "Sejam imitadores de Deus, como filhos queridos. Vivam no amor, assim como Cristo nos amou e se entregou a Deus por nós, como oferta e vítima, como perfume agradável" (Ef 5, 1-2).

Jesus Cristo é o modelo da peregrinação. E é Ele mesmo o caminho! Chamo atenção para o artigo definido "o". Não há muitos caminhos, pois Jesus é o único.

Os primeiros seguidores de Cristo não eram chamados de "cristãos", tampouco de "católicos". Referiam-se a eles como "os do caminho". Apenas na cidade antiga de Antioquia, no sul da Turquia, receberam o nome de cristãos (cf. At 11, 26).

No caminho de Emaús, os discípulos andaram onze quilômetros por um caminho de derrota, até que, na volta para casa, Jesus transformou o fracasso em vitória. A distância citada inicialmente simboliza a nossa prostração em direção à morte. Muitos estão ricos financeiramente, deitados em berço esplêndido, mas ressequidos em sua alma. Esse é o caminho do infiel. Já o caminho da santidade é um só: Jesus Cristo.

Enquanto discípulos, temos de olhar com frequência para as nossas pegadas, conforme orientação do Mestre: "Quem quer me seguir renuncie a si mesmo, tome sua cruz e venha atrás de mim" (Mt 16, 24).

Por isso, eu pergunto: de quem são as pegadas que temos seguido?

Mova-se

Deus é um eterno peregrino que caminha em direção a nós, seres humanos. Jesus é o caminho.

Não somos obrigados a seguir as pegadas de Jesus. Sinceramente. Mas, a partir do momento em que queremos ser melhores do que somos, esse é o único caminho.

Somos livres para fazer nossas escolhas: podemos terminar a vida mancos, sem ter saído do lugar, ou livres para servir. Por isso, Jesus chama cada um de seus discípulos: "Segue-me."

Jesus era verdadeiramente Deus e verdadeiramente homem, mas um homem que se pôs a caminho. A proposta de vida que Jesus nos faz é a de transformarmos a nossa vida em discipulado d'Ele.

Numa de suas caminhadas, o Senhor voltou para a cidade de Cafarnaum, em Israel, e logo espalhou-se a notícia de que Ele estava em casa. Muitas pessoas foram até lá, a ponto de não haver lugar disponível nem mesmo do lado de fora, perto da porta. Enquanto Jesus estava anunciando a mensagem, trouxeram-lhe um paralítico. Ele estava sendo carregado por quatro homens, mas, por causa de toda aquela gente, não puderam colocá-lo mais próximo de Jesus. Então, fizeram um buraco no telhado da casa, em cima do lugar onde Jesus estava, e, pela abertura, desceram o doente deitado em sua cama. Jesus viu que eles tinham fé e disse ao paralítico: "Meu filho, os teus pecados estão perdoados" (Mc 2, 1-5).

Do mesmo modo como entrou em Cafarnaum, Jesus quer entrar em nossa vida. Sintamos Seu poder que cura e tira a amarra dos nossos pés. Digamos a Ele:

Senhor, eu estou aqui.
Estou deitado, prostrado.
Não estou conseguindo caminhar, superar minhas mágoas.
Não consigo perdoar.
Parece que estou preso no passado, naquele momento de
  abandono. Liberta-me!
Cura-me, Senhor!

E não nos esqueçamos de que também podemos levar até Jesus alguém que, sabemos, não consegue caminhar!

Na sequência, o texto afirma que os mestres da Lei criticaram Jesus, mas Ele não se importou. Outras curas já haviam ocorrido pelas mãos dos profetas, como no caso de pessoas leprosas, porém o perdão dos pecados só podia ser dado por

Deus. Por isso, Jesus, o filho de Deus, fez questão de ser preciso, dizendo: "Teus pecados estão perdoados."

Ter os pecados perdoados nos confere leveza de espírito. Se estamos falando de cura completa, ressalto o Sacramento da Reconciliação (a Confissão,) tão pouco valorizado nos tempos atuais. A Confissão com um sacerdote nos liberta do peso do pecado, limpa nossos corações e nos ajuda a caminhar melhor. Este sacramento é a oportunidade de experimentar o abraço do Pai Misericordioso que está sempre a nos esperar. Foi o próprio Jesus que disse: "Recebam o Espírito Santo. Os pecados daqueles que vocês perdoarem serão perdoados. Os pecados daqueles que vocês não perdoarem não serão perdoados" (Jo 20, 22-23).

Vamos com Jesus: Ele é o caminho, a verdade, a vida. Ficar paralisado, remoendo perdas, faz de nós prisioneiros, reféns do medo.

Na cura relatada, é nítido que Jesus Se convenceu de que o paralítico tinha fé, então chamou-o de filho e perdoou seus pecados.

Quanto a nós, Ele também nos diz, hoje: "Coragem, filho, quero perdoar teus pecados. Caminha comigo. Levanta, deixa para trás o teu vitimismo. Tira as sandálias do mundo. Sai daquilo que te aprisiona. Caminha, vai, começa uma vida nova. Coragem, filho!"

Transforme seus pés e mãos em instrumentos da graça

Não são somente os pés que simbolizam o nosso agir. As mãos, obra-prima do Criador, têm habilidade de executar tarefas minuciosas e precisas, como no caso dos cirurgiões. Também produzem a beleza expressa em quadros, em esculturas, na harmonia do músico...

As mãos constituem os membros primordiais para abençoar. "Então, Jesus os levou para fora da cidade até o povoado de Betânia. Ali, levantou as mãos e os abençoou" (Lc 24, 50). Também as utilizamos, como expressão corporal, para receber as bênçãos de Deus.

Simbolicamente, dizemos "agora está nas tuas mãos, Senhor", como demonstração de confiança nos cuidados do Pai. Da mesma forma, quando afirmamos que determinado trabalho está "nas mãos de alguém", estamos nos referindo à sua responsabilidade.

Hoje em dia, firmar um contrato e registrá-lo em cartório tornou-se corriqueiro para qualquer tipo de acordo, mas antigamente, além do tradicional "fio do bigode", os negócios também eram firmados com um aperto de mãos. Vejam a importância desse gesto! Sem falar em que o aperto de mãos também é usado para selar a paz ou validar uma amizade.

Em sentido mais profundo, as mãos também funcionam como espelho da alma. No julgamento de Jesus, ficou célebre a atitude de indiferença de Pilatos, que lavou as mãos para eximir-se da sua responsabilidade. Desde então, a menção a esse gesto foi incorporada em nossa cultura, e a empregamos quando se trata de nos desvencilharmos de certos imbróglios.

Pelas mãos rudes, calosas e sujas de Simão Cireneu, Jesus recebeu ajuda para carregar a pesada Cruz quando suas forças se esgotaram. Pelas mãos de Verônica, que nem sequer é citada nos Evangelhos, recebeu algo de quem não tinha nada mais para oferecer, a não ser o alento: ela, afinal, quis singelamente enxugar o sangue que escorria pela Sua face.

A Bíblia ainda destaca as mãos como simbolismo de serviço e de lealdade (cf. 2 Rs 10, 15), além de transmitir autoridade, sinalizar sucessão (cf. Nm 27, 18-19a), abençoar (cf. Mc 10, 16), curar (cf. Lc 4, 40) e conceder dons especiais (At 19, 6).

O gesto de impor as mãos faz parte da ordenação diaconal e sacerdotal, bem como do rito do Batismo e do Crisma. No sacramento da Unção dos Enfermos, o sacerdote unge com óleo a testa e as mãos do doente.

Conforme prescrito, a bênção sacerdotal é feita levantando-se a mão e traçando uma cruz. Já os bispos dão sua bênção traçando três cruzes.

Um dos momentos mais marcantes da minha ordenação sacerdotal, que ficou registrada em fotos e sempre gosto de relembrar, é justamente aquele em que uma tira de linho branco une minhas duas mãos, assim amarradas pelo Bispo que as ungiu. E, como parte do rito, fui até meus pais, para que eles as soltassem. Em seguida, meu pai e minha mãe deram o primeiro beijo na palma das minhas mãos de neossacerdote. Esse gesto inaugurado por Jesus, e ao qual nós damos continuidade, é sinal de pertencimento à Igreja.

Uma antiga tradição, de devoção popular, faz com que, depois de lavar e enxugar com um pano as mãos ungidas e consagradas com o óleo do Crisma, o padre recém-ordenado entregue esse mesmo pano à sua mãe, que foi sua primeira protetora desde o ventre. Quando a mãe do sacerdote for chamada por Deus, ela será sepultada segurando o pano, de modo que todos no Céu e na terra saibam que ela é a mãe de um sacerdote. E, no último dia, quando ressuscitarmos dos mortos, ela poderá apresentar a peça a Cristo Senhor e dizer-Lhe: "Meu filho também partilhou do vosso sacerdócio."

Quando Jesus ressuscitou, conservou no Seu corpo glorioso, imortal, as marcas da crucificação, precisamente as Santas Chagas. Tomé, que não estava com os apóstolos na primeira aparição, para acreditar, fez um pedido específico a Jesus: tocar nessas feridas (Jo 20, 24-29). Talvez tivesse sido mais fácil Tomé ter pedido para ver o rosto de Jesus: afinal, haviam convivido durante três anos. Jesus, por sua vez, não disse: "Olhe para o meu rosto", e sim "Vede minhas mãos e meus pés, sou eu". É como se dissesse: "Toque e você recobrará a fé."

Jesus também foi reconhecido pelos discípulos de Emaús ao usar as mãos para partir o pão (cf. Lc 24, 31). Na sinagoga, em pleno sábado, curou um homem com a mão ressequida, definhada. Da mesma forma, nós também sofremos com as mãos atrofiadas que nos impedem de agir e nos influenciam negativamente em muitas outras áreas de nossas vidas.

As mãos de Jesus tocaram, abençoaram, libertaram e curaram. Essa é a realidade para a qual nós, eu e você, somos chamados. Jesus quer nos tocar e quer que O toquemos, pois somente assim conseguiremos tirar as correntes que nos aprisionam.

As mãos e os pés expressam o que vem do nosso interior. Eles vacilam diante do medo e das perturbações. Travam nas mágoas e nas dúvidas, atrofiam em nosso egoísmo. E se tornam livres quando nos movimentamos em direção a Deus e ao próximo.

As mãos abertas e estendidas para ofertar e ajudar estão prontas para serem alcançadas por Jesus quando estivermos em perigo. Foi assim com Pedro, que, na tempestade, mesmo afundando, manteve-se seguro. Quem não é capaz de estender as mãos para o Senhor fica sem esse auxílio.

Assim como a mente com brechas para o mal pode vir a se transformar no parque de diversões do diabo, os ouvidos e os olhos podem fazer as vezes de porta de entrada do Inimigo. Da mesma forma, os pés podem seguir a rota da perdição e as mãos podem agir em favor do Maligno em lugar de Deus.

Já o homem renovado, livre e curado tem pés solidários e mãos generosas. Não me refiro simplesmente ao ato de ajudar financeiramente os mais necessitados, mas, sobretudo, ao gesto de se compadecer, de tomar as dores do outro. Como vimos na parábola do Bom Samaritano, que passou com suas próprias mãos vinho e óleo nas feridas do viajante, amar ao próximo é isso.

Sendo assim, reflitamos: o que a nossa mão tem feito?

Limitamo-nos a "fazer a nossa parte" e buscar o bem para nós, ou temos construído, ofertado, ajudado, levantado pessoas que estão caídas?

Sabiamente, o Papa Francisco declarou que, em meio às dificuldades enfrentadas por todos durante a pandemia do novo coronavírus, não podemos nos deixar contaminar pelo vírus do desânimo! E também devemos tomar a vacina da esperança!

Essa esperança nos faz estender as mãos a quem precisa. Um coração agradecido transforma pés e mãos em instrumentos da graça. Como você deve ter percebido, trabalhamos aqui uma ordem coerente de cura e libertação: mente aberta, coração renovado, olhos que enxergam, ouvidos e boca que se abrem, pés caminhando em direção a Deus e mãos estendidas para servir e acolher suas bênçãos.

As mãos de Nosso Senhor Jesus, com Suas Chagas dolorosas e gloriosas, foram sinais para a edificação da fé de Tomé. Por elas, livramo-nos das amarras, dos grilhões e das correntes que nos aprisionam.

Para rezar

Senhor Jesus,
Permita-me tocar em vossas Santas Chagas
E nelas me refugiar.
Senhor, perdoa meus pecados.
Desbloqueia o meu passado.
Ajuda-me a caminhar contigo.
Quero seguir tuas pegadas
E aceitá-Lo como o caminho.
Liberta, Senhor, os meus pés.
Eu quero ser um peregrino do Céu.
Liberta, Senhor, minhas mãos.
Fazei-me livre para servir sem reservas
E com disponibilidade.
Se, em algum momento de minha vida eu me perder,
Tem misericórdia, Senhor!
Toma-me pela mão e reconduze-me para Teu
    rebanho.
O Teu amor e a Tua misericórdia são infinitos!
Então, toca meu corpo e minha alma!
Faz a Tua vontade,
Cumpre o Teu projeto em mim.
Amém.

CAPÍTULO 11

CURA PELA INTERCESSÃO DE MARIA

Sempre que possível, faço questão de incluir algo sobre Nossa Senhora nos meus livros. Parafraseando o Papa São João Paulo II, sou todo de Maria.

Por ter sido muito citada a queda de Adão e Eva do Paraíso, senti necessidade de incluir este capítulo sobre uma das orações mais lindas dedicadas à Virgem e que faz parte do Santo Rosário: a Salve-rainha. Também gostaria de motivar todos a rezar com mais frequência esta importante oração por nós e pelos nossos falecidos. É consolador e, ao mesmo tempo, enche-nos de esperança suplicar:

Salve, Rainha, Mãe de Misericórdia,
Vida, doçura e esperança nossa, salve!
A vós bradamos, os degredados filhos de Eva.

A vós suspiramos, gemendo e chorando neste vale de
    lágrimas.
Eia, pois, advogada nossa, estes vossos olhos misericordiosos
    a nós volvei.
E, depois deste desterro, mostrai-nos Jesus, bendito fruto de
    vosso ventre.
Ó clemente! Ó piedosa!
Ó doce, sempre Virgem Maria!
Rogai por nós, Santa Mãe de Deus,
Para que sejamos dignos das promessas de Cristo.
Amém.

Esta oração é atribuída a um monge beneditino chamado Hermano Contracto, que a compôs. Nascido em 1013, em Altshausen, na Alemanha, sua história de vida é interessante e desafiadora. Chamo a atenção para esse aspecto porque, às vezes, nós reclamamos muito da vida sem saber o que são verdadeiras provações. De fato, sua vida tinha tudo para dar errado, pois nasceu com problemas de saúde gravíssimos, em um período de conflitos e pestes.

Ao nascer, foi diagnosticado com atrofia espinhal, disfunção altamente limitante para sua locomoção; fenda labial, conhecida como lábio leporino; fenda palatina, uma abertura no céu da boca que dificulta a alimentação e a dicção; além de raquitismo, o que gradualmente o deixaria paralítico. Em síntese, ele era desprovido das condições básicas para movimentar-se, alimentar-se e até mesmo falar.

Justamente por isso, sua infância foi imensamente penosa. Quando tinha sete anos, sua mãe, chamada Miltreet, entregou-o aos cuidados dos monges beneditinos, que o acolheram em seu mosteiro, onde foi criado e educado. Aos vinte anos, Hermano tornou-se, enfim, um monge, passando a ser conhecido como Hermano de Reichenau, nome da cidade germânica onde viveu até sua morte, em 1054.

Apesar das limitações físicas, sua mente era brilhante. Estudou astronomia, matemática, física, teologia, poesia e música, além de dominar os idiomas árabe, grego e latim. Também foi mestre de noviços.

Hermano tinha uma devoção única pela Virgem Maria, pois fora consagrado a Ela por sua mãe assim que nascera com todas as deficiências descritas.

Nossa Senhora foi a Mãe que sempre o protegeu e o ajudou a vencer os desafios. Quando já estava perdendo a visão, no ano 1050, compôs a Salve-rainha.

Vejam como Deus escolhe os fracos para confundir os fortes! Aquilo que é desprezível aos olhos humanos é grandioso diante de Deus!

Fiz questão de contar a história desse monge para servir de estímulo, de inspiração e fonte de superação não apenas às pessoas que igualmente são privadas de habilidades físicas, como às abençoadas com boa saúde; e também para refletirmos juntos:

O que temos feito com as bênçãos que recebemos de Deus?

A oração da Salve-rainha é iniciada com uma saudação: "Salve", que demonstra cortesia e também alegria por se dirigir à Virgem Maria. Logo em seguida, vem a palavra "Rainha", referência mais do que justa em razão de sua maternidade divina. Maria é Rainha por ser Mãe de Jesus, da estirpe de Davi, Senhor e Rei do Universo.

De acordo com o Antigo Testamento, Salomão desposou várias mulheres, o que tornava difícil escolher uma delas para ocupar o trono à sua direita. Então, ofertou esse lugar à sua mãe, Betsabé, a rainha (cf. 1 Rs 2, 13-21). *Gebirah*, por sua vez, é o termo hebraico para designar "Rainha Mãe". Portanto, Maria, ao ser escolhida para ser a Mãe de Jesus, tornou-se a Rainha Mãe, aquela que, segundo a tradição do povo de Israel, carrega a linhagem real.

Vale lembrar ainda do paralelo entre a rainha Ester e Maria. Enquanto a primeira alcançou graça diante do rei Assuero (cf. Es 2, 17), Maria encontrou-a perante Deus (cf. Lc 1, 30). A rainha Ester intercedeu pelo seu povo junto ao monarca; Maria, que sempre foi vista como a nova Ester, é a intercessora de toda a humanidade junto a Deus Pai e a seu Filho Jesus.

"Salve, Rainha, Mãe de Misericórdia"

Pelo Dogma da Assunção, acreditamos que Maria foi assunta ao céu de corpo e alma. Faz parte da tradição que, por todas as suas virtudes e por ser a Serva fiel, a Mãe de Deus e Esposa do Espírito Santo, foi coroada como Rainha do Céu e da Terra.

Maria é Rainha dos Apóstolos porque foi ela quem os levou até o Pentecostes. E também é Rainha da Igreja, porque intercede por ela.

Logo na primeira saudação da Salve-rainha, ao chamá-la de "Mãe de misericórdia", manifestamos um ato de fé e confiança. Ela é a Mãe que nos foi dada pelo próprio Jesus: "Mulher, eis aí teu filho. Filho, eis aí tua mãe" (cf. Jo 19, 26-27). Não somos órfãos, mas temos uma Mãe. É testamento divino do Senhor.

Maria é *Mãe de misericórdia* nas nossas pelejas, nas nossas contrariedades. É aquela que não fica indiferente à dor e aos sofrimentos de seus filhos. Ela permanece sempre conosco, inclusive na hora da nossa morte, quando aparentemente estaremos sós — afinal, ninguém conseguirá nos fazer companhia nessa travessia, nem o melhor médico, nem a pessoa mais próxima.

Utilizei a expressão "aparentemente" porque, assim como todos tivemos uma mãe biológica que, pelo cordão umbilical, nos deu a vida, também temos uma Mãe de misericórdia ao nosso lado na hora de morrer. Ela nos acompanhará até a porta para a eternidade.

A mãe biológica, salvo raras exceções, sempre faz o melhor por seus filhos: está sempre pronta para se levantar quantas vezes for preciso para atendê-los. É capaz de dar de seu próprio seio o leite materno. O filho pode ter aprontado todas, a ponto de ir parar na cadeia, mas a mãe nunca o abandona.

Então... imagine Nossa Senhora!

"Vida, doçura e esperança nossa"

Vida, sim!

Vida porque Deus é vida e escolheu entrar no mundo por Maria. Ela trouxe a vida!

Não existe idolatria em amar Nossa Senhora porque, todas as vezes que chegarmos perto de Maria, ela vai estar com a mão apontando para o Filho Jesus, dizendo: "Fazei tudo o que Ele vos disser." Ninguém erra em buscar Nossa Senhora como fonte de vida, porque nela pulsou o Verbo de Deus.

Não é da natureza de uma mãe abandonar os filhos; nem os animais fazem isso. Está na ética cristã lutar pela vida acima de tudo.

O monge beneditino alemão que elaborou a Salve-rainha sofreu terrivelmente e não pôde contar nem mesmo com os cuidados da mãe biológica. Entretanto, certamente experimentou a "doçura" de Maria como alento nos amargores da vida.

Também nós somos chamados a experimentar a doçura da nossa Mãe do Céu nos infortúnios, nos desesperos, nas noites traiçoeiras, nos momentos de amargura e de angústia.

Maria é, sim, "esperança nossa". Esperança de ajuda, acolhimento, intercessão. Com sua ajuda, nós nos manteremos fiéis a Jesus Cristo, pois ela nos arrebanha em torno de seu filho. No mundo de hoje, marcado por tantas catástrofes, incluindo o atual cenário de pandemia, muitas pessoas encontram-se abatidas e desesperançosas; então, mais do que nunca, esperamos em Maria por dias melhores.

"A Vós bradamos, os degredados filhos de Eva"

Bradar significa "falar em voz alta". Mais do que rezar, trata-se de chamar a atenção da Mãe. A Ela clamamos como uma criança: "Mãe, Mãe, Mãe..."

Por esses dias, uma mãe brincou dizendo que, pelo fato de as crianças passarem mais tempo em casa durante a pandemia, ela ficaria milionária se lhe pagassem um real todas as vezes em que escuta a palavra "mãe". Isso se deve ao fato de os filhos recorrerem sempre a ela, pois sabem que está sempre pronta a auxiliá-los.

E quanto aos "degredados filhos de Eva", o que isso quer dizer?

Como filhos de pais pecadores, fomos, assim como eles, "degredados", ou seja, exilados. Mas não se trata de ser expatriado de um país, e sim de algo muito mais importante: da graça de Deus!

Fomos gerados no coração criador e amoroso de Deus, à Sua imagem e semelhança, para termos intimidade e vivermos com Ele no Paraíso. Segundo o Gênesis, todas as tardes Deus passeava com Adão e Eva no melhor de todos os jardins do mundo, mas, pelo pecado original, pela desobediência, foram expulsos dali. Desde então, nós, como herdeiros desses pais, assumimos a condição de exilados.

Não obstante, vale lembrar: o exílio é o estado de quem está em lugar ao qual não pertence; ou seja, embora estejamos fora do Paraíso, o nosso lugar sempre foi lá — e continua sendo.

Somos os filhos de Eva, e é por isso que fomos degredados, tirados do Céu, perdendo o dom de viver para sempre. O nosso corpo passou a ter "prazo de validade" após o pecado original. Não fosse por isso, seríamos imortais, não teríamos de lidar com o sofrimento das doenças. Insuflados pela serpente, fomos envenenados com a pretensão de que poderíamos ocupar o lugar do Criador. (Opa! Qualquer semelhança com o que vivemos no mundo atual não é mera coincidência!)

Então, enquanto vivermos sob as consequências do pecado original, seremos degredados e estaremos no exílio.

"A vós suspiramos, gemendo e chorando neste vale de lágrimas"

Quero começar meu comentário sobre esta passagem da Salve-rainha lembrando que nossos gemidos não são apenas resultantes da dor; afinal, como explicou São Paulo, quando o Espírito Santo vem a nós, Ele provoca gemidos inefáveis, isto é, que não podem ser descritos com palavras. Sim, todos gememos e suspiramos também graças à ânsia pelo Único que é perene e eterno: Deus.

O gemer do Espírito em nós não descansa enquanto não estivermos em Deus, e por isso seguimos chorando nesse vale de lágrimas. Mas, de novo em contraposição ao senso comum, não se trata do choro dos fracos. Isso é uma visão equivocada. Bem-aventurados os que choram, porque serão consolados.

O monge beneditino que compôs a oração certamente passou por muitos vales de lágrimas; basta lembrarmos que ele terminou sua vida atrofiado e cego. Mas o sofrimento do presente implica também uma esperança no futuro. Então, por que não admirarmos a paisagem desse vale como uma espera no Senhor?

É exatamente o que pedimos a Nossa Senhora, a Rainha, a Mãe de misericórdia. Nós suspiramos com o pé na terra e o olhar posto no céu. Gememos com a ação do Espírito Santo e sabemos o que nos espera, chorando nesse vale de lágrimas. Choramos os nossos pecados. Choramos porque nós somos inconformados com o mundo.

"Eia, pois, advogada nossa"

"Eia" é uma interjeição que, ao memo tempo, expressa determinação e alerta, quase como um comando para nos tirar do nosso estado de torpor espiritual e inércia. Assim, embora esteja se referindo a Nossa Senhora, o monge autor também está lançando um desafio a nós: "Ei-la, aí está a nossa advogada."

Que maravilha pensar que temos Maria como Mãe e advogada! Não há causa perdida!

Se temos alguma pendência judicial, faz toda a diferença contar com um bom advogado. A causa pode ser fácil, mas um advogado ruim pode botar tudo a perder.

Maria é, de fato, nossa advogada, aquela que intercede em vida e na morte, como fez nas Bodas de Caná, com jeitinho de Mãe, aconselhando os responsáveis pelo casamento.

Que coisa mais linda!

Eu sou apaixonado por Nossa Senhora e me emociono em saber que temos no Céu uma Mãe pronta para nos acalmar: "Deixem estar, façam tudo o que Ele disser, vai dar tudo certo..."

Advogada brilhante, Maria é Aquela que, diante de Deus, como a Mulher, a nova Ester, suplica por nós.

Aproveito aqui para construir uma ponte ligando os filhos de Eva aos filhos de Maria. De acordo com o texto do Gênesis, o Senhor disse à serpente: "Eu porei inimizade entre você e a mulher, entre a tua descendência e os descendentes dela." Quando Jesus, na Cruz, diz: "Mulher, eis aí teu filho", está evocando essa mesma descendência da Mulher. Então, ao chamar sua Mãe, Maria, de Mulher, não a estava diminuindo, como se fosse qualquer uma das mulheres. É "a Mulher" que propiciou o surgimento de uma nova descendência, redimindo todos os descendentes de Eva.

Ao chamar Maria de "Mulher", Jesus atribui a Ela um papel muito importante, que extrapola o dos laços afetivos. Ainda na Cruz, Ele avistou Maria de Cléofas, assim como Maria Madalena e Salomé, mas foi em Maria que pousou Seu olhar, como se pensasse: "Eis aí a Mulher, a Prometida no Gênesis, a que vai estabelecer uma nova descendência! Eu te confio, ó Mulher cheia de Graça, a sua nova descendência."

Essa mesma forma de se referir a Nossa Senhora nós encontramos no texto do Apocalipse: "Uma mulher vestida de sol, a lua debaixo dos seus pés e na cabeça uma coroa de doze estrelas. A mulher está grávida..." (Ap 12, 1). Sem qualquer motivo para dúvida ou constrangimento, podemos ver na mulher citada a figura de Maria.

Viva a devoção mariana!

"Vossos olhos misericordiosos a nós volvei"

Duvido que toda mãe, em sã consciência, não tenha misericórdia. Deus é misericordioso, e Maria foi aquela que experimentou a misericórdia de Deus. Ele olhou para a humildade de sua serva.

Por isso, nós pedimos: "Olhai com vossos olhos de misericórdia para nós, com os olhos de advogada bondosa."

Por mais que os filhos sejam ingratos, as mães sempre dão um jeito de os ajudar e de fazer tudo por eles. Imagine Nossa Senhora! Portanto, não hesitemos em pedir-Lhe:

Nossa Senhora, minha Mãe, repreende-me se preciso, mas me envolve com teu olhar, tua proteção, cobre-me com teu manto.

Hermano de Reichenau, dito o Aleijado, teve o palato fendido, era portador de raquitismo e morreu cego. Teria todos os motivos para duvidar, mas fez justamente o contrário. Confiou na misericórdia de Maria, experimentou-a e nos deixou seu valioso legado por meio desta oração.

"E, depois desse desterro, mostrai-nos Jesus, bendito fruto do vosso ventre"

Aqui devemos observar que a palavra "desterro", assim como "degredados", aponta para uma condição temporária de exílio, mas não original nem definitiva. Santa Teresinha dizia que há uma eternidade antes de nascermos e após morrermos. Estamos vivenciando uma fase, mas ela não é tudo.

Nós estamos desterrados porque aqui não é nossa pátria. Viemos de Deus e voltaremos para Deus. Ter consciência disso significa compreender de onde viemos, por que estamos aqui e para onde vamos. Caso contrário, como dizia o filósofo dinamarquês Sören Kierkegaard, estamos fadados a uma existência angustiada. Se há uma continuidade, a morte se torna um alento. Por que viver, se nós perdermos essa noção de eternidade? Não se trata de rejeitar a vida aqui e agora, mas de enxergarmos além. Se perdermos essa noção, então tudo se reduz ao aqui.

Quando nós rezamos esta oração, evocamos a fé que nos ajuda a viver a vida no presente sem descuidar da esperança no futuro. Somos todos degredados aqui e agora, mas cremos e esperamos que um dia retornaremos à nossa terra natal!

Ainda sobre esta passagem, o papel da Virgem Maria é, antes de tudo, o de nos mostrar Jesus. Cada vez que rezamos a Salve-

-rainha, nós estamos pedindo: "Mãe, enquanto eu estiver neste desterro, gemendo e chorando neste vale de lágrimas, mostra-me teu Filho. Mostra-me o fruto bendito do teu ventre!"

Para finalizar, uma curiosidade.

Originalmente, a oração da Salve-rainha era concluída com este pedido ("mostrai-nos Jesus, bendito fruto do vosso ventre"), porém acabou sendo muito difundida e, após um século de sua composição, durante uma importante celebração na Catedral de Spira, na Alemanha, recebeu um lindo e comovente complemento. O adendo foi feito por um jovem chamado Bernardo de Claraval, conhecido como "o Cantor da Virgem Maria" e mais tarde canonizado. Ele se uniu ao coro da igreja para entoar a Salve-rainha e, quando todos terminaram, antes de pronunciarem "Amém", do seu coração em êxtase brotou a tríplice exclamação: *O clemens, o pia, o dulcis Virgo Maria!* ["Ó clemente, ó piedosa, ó doce Virgem Maria!"]. A partir daquela noite, véspera de Natal, esta frase foi acrescentada à oração oficial.

Diz a tradição que, quando perguntaram a São Bernardo qual fora a inspiração da tríplice exclamação, sua resposta foi mais ou menos esta: "Depois de tudo o que foi dito a Maria, de lembrarmos nossa Mãe do que somos e do que devemos ser, temos de exclamar: 'Mãe, seja clemente. Mãe, seja piedosa. Mãe, tu és doce e sempre Virgem!'"

Rezemos mais a Salve-rainha, meditemos mais sobre ela, experimentemos a Mãe de Misericórdia, a Rainha que está diante de seu Filho Jesus para interceder pelo seu povo. Experimentemos a vida que brota da Virgem, a doçura da Mãe, o conforto, a maternidade. Que nós tenhamos essa intimidade com Ela.

Tal como um bebê se nutre no seio da mãe, nutramo-nos com o amor de Nossa Senhora, e que Ela seja nossa esperança em todos os momentos difíceis.

Para rezar

Nossa Senhora,
Mãe de misericórdia,
Sou teu filho, Mãe.
Tem misericórdia de mim.
Tem misericórdia dos meus filhos.
Tem misericórdia dos meus pais.
Tem misericórdia, Mãe, do mundo.
Tem misericórdia de todos os que se afastaram do teu Filho Jesus.
Tem misericórdia daqueles que estão se perdendo nos vícios.
Tem misericórdia das almas do Purgatório.
Sê, Mãe, a nossa intercessora na vida e na hora da morte.
Amém.

CAPÍTULO 12

CURA PELO ENCONTRO PESSOAL COM JESUS

Muitas pessoas estão tomadas de sentimentos negativos. São prisões que as fazem perder a esperança. Não tenhamos dúvida de que estão necessitando de um encontro pessoal com Jesus.

Nosso querido Papa Francisco tem nos incentivado insistentemente a termos esse "encontro", um encontro capaz de nos curar e transformar nossa vida.

O relacionamento com Jesus cura a visão da nossa própria existência, que adquire um novo sentido. Quem faz essa experiência do "encontro" fica tão preenchido de Jesus que não consegue reter só para si a graça. O coração curado torna-se um coração evangelizador.

No Evangelho de São João, há um exemplo que chama a atenção para a importância do nosso encontro pessoal com Jesus:

No dia seguinte, Jesus decidiu partir para a Galileia. Encontrou Filipe e disse: "Siga-me." Filipe era de Betsaida, cidade de André e Pedro. Filipe se encontrou com Natanael e disse: "Encontramos aquele de quem Moisés escreveu na Lei e também os profetas: é Jesus de Nazaré, o filho de José." Natanael disse: "De Nazaré pode sair coisa boa?" Filipe respondeu: "Venha, e você verá."

Jesus viu Natanael aproximar-se e comentou: "Eis aí um israelita verdadeiro, sem falsidade."

Natanael perguntou: "De onde me conheces?" Jesus respondeu: "Antes que Filipe o chamasse, eu o vi debaixo da figueira."

Natanael respondeu: "Rabi, tu és o Filho de Deus, tu és o rei de Israel!"

Jesus disse: "Você está acreditando só porque eu lhe disse: 'Eu o vi debaixo da figueira?' No entanto, você verá coisas maiores do que essas." E Jesus continuou: "Eu lhes garanto: vocês verão o céu aberto e os anjos de Deus subindo e descendo sobre o Filho do Homem" (Jo 1, 43-51).

Sem dúvida havia no coração de Filipe e de Natanael um desejo de encontro. Eles estavam buscando, procurando aquele que iria fazer toda a diferença, e bastou Filipe olhar para Jesus para ter a certeza de que estava diante do Filho de Deus.

E quanto a nós, o que buscamos? Será que buscamos Jesus em glórias vãs, sem Cruz?

Como sempre reforço, não existe Jesus sem Cruz. Ninguém consegue chegar em Cristo, mesmo na Sua glória, sem abraçar as Suas Chagas.

O seu encontro com Jesus já aconteceu?

Podemos até estar "debaixo da figueira", num lugar que favorece a oração, fornecendo-nos bons frutos. Mas será que basta uma atitude contemplativa da nossa parte? Em algum momento não é necessário sair "debaixo da figueira" e caminhar até o Senhor?

O movimento de ir em direção a esse encontro com Jesus é muito importante, pois indica uma ação, um interesse, um querer mudar, um sair da zona de conforto para conhecer o Messias e deixar-se transformar por Ele. Lembremos que nossos pais Adão e Eva se esconderam do Senhor!

Com certeza, não há quem, em dado momento da vida, não tenha ouvido falar de Jesus. Esse anúncio, para quem O busca e O deseja, faz toda a diferença.

Muitas pessoas que ouvem falar de Jesus, a princípio, aproximam-se d'Ele por curiosidade, o que provavelmente ocorreu com Natanael, que até questionou: "De Nazaré pode sair coisa boa?" Mas, quando começamos a conhecê-Lo, passamos a ter intimidade com Ele e somos envolvidos por Seu imenso amor. Esse encontro nos transforma total e inteiramente, a ponto de as pessoas que nos cercam perceberem a mudança em nosso jeito de ser e agir.

Jesus não nos força a nada, mas, ao darmos pelo menos uma brechinha, Ele entra lentamente em nossa vida, realiza maravilhas e, quando percebemos, já não conseguimos mais viver sem Sua presença. Todo o nosso ser é tomado por Jesus, e a experiência do Seu amor nos leva à mudança.

Passamos a imitar o Mestre, o que implica tentar agir como Ele e, sobretudo, procurar ver o mundo e as pessoas com o Seu olhar. Nesse processo, vamos descobrindo o verdadeiro sentido da nossa vida.

Seguir Jesus requer autenticidade e fidelidade. A Ele ninguém engana, pois conhece intimamente nossos pensamentos e sentimentos. Quando pensamos em procurá-Lo, Ele já nos encontrou. Foi o que aconteceu com Natanael. Jesus o viu aproximar-se e comentou: "Eis aí um israelita verdadeiro, sem falsidade."

Aquele que, a princípio, mostrou-se incrédulo, tocado pela experiência do encontro, proclamou com fé: "Rabi, tu és o Filho de Deus, tu és o rei de Israel!" E tornou-se um dos doze apóstolos.

Como também já expliquei, quem faz em sua vida a experiência do encontro de amor com Jesus não consegue retê-lo e sente necessidade de apresentá-Lo a outros, como fez Filipe. Nosso pensamento deve ser: "Eu faço, eu anuncio, eu sirvo, porque Jesus é meu Amado e eu O encontrei."

Meus irmãos e irmãs, essa experiência ninguém nos tira!

Por outro lado, temos de tomar cuidado com a mundanização, uma advertência feita tanto pelo Papa Emérito Bento XVI quanto pelo Papa Francisco. O objetivo do Inimigo é apenas um: arrancar-nos do coração de Deus.

Todo o servir a Jesus por amor faz diferença

Às vezes, ficamos cansados, passamos a atuar de forma automática, mecânica, e tudo se torna enfadonho. Atenção! Não podemos tratar nossa vida em Deus como uma obrigação, pois a obrigatoriedade não é fruto da liberdade e do amor.

Nós somente encontramos nossa felicidade e nossa vida plena quando vivemos em Jesus Cristo. Não adianta buscar em outro lugar ou pessoa. Santo Agostinho compreendeu isso e lamentava: "Tarde Te amei..." Ele poderia ter encontrado esta felicidade antes!

Podemos encontrar Jesus e não sermos apenas mais um serviçal, e sim "amigos", conforme Ele mesmo nos denominou. Ninguém é escravo de Jesus; somos Seus amigos, e foi Ele Quem nos autorizou e confirmou essa amizade (cf. Jo 15, 15).

A experiência pessoal com Jesus é fundamental; é ela que nos traz a alegria de Deus. Basta esse encontro para transformar corações.

Como Natanael, podemos nos perguntar de onde Jesus nos conhece. Sua resposta certamente será: "Eu o vejo, eu o conheço antes que você me conhecesse, eu o encontrei antes mesmo de você me encontrar, eu o amei antes de você me amar!"

Você já se encontrou com Jesus? Já olhou em Seus olhos quando está diante do Santíssimo?

Isto tem um valor incomensurável: ajoelhar-se diante do Sacrário e fazer como Santa Teresinha de Lisieux, que apenas disse: "Jesus, tua menina chegou, tua menina está aqui." Muitas vezes não é preciso nem falar, mas somente se colocar sob o olhar de Cristo. Se sentir vontade de chorar, chore. Se sentir vontade de cantar, cante. Se não sentir vontade de fazer nada, não faça.

Jesus nos olha com amor (cf. Mc 10, 2 1), e estar sob o Seu olhar já basta!

Você já sentiu esse olhar de Jesus que diz: "Eu te amo"? É uma experiência de amor tão forte que muda toda a nossa vida, a ponto de afirmarmos: "Jesus é meu amado, a razão da minha vida!"

Natanael experimentou exatamente isso, e a nós também é dada essa oportunidade: precisamos passar pela cura interior, pela libertação de todo o nosso ser, por um perdão verdadeiro e pelo renascimento no Espírito Santo.

Configure-se a Jesus Cristo e sinta o verdadeiro poder da cura

Ninguém mais do que Jesus sabe o que é dor e sofrimento. Não entendemos a dimensão daquilo por que Ele passou, pois estamos acostumados a olhar para a Sua Paixão como se vê nos filmes, repleta de efeitos especiais. Assim, esquecemos que nosso Deus, nosso Amado Jesus, experimentou a pior de todas as crueldades humanas por amor.

Como sabemos, Jesus passou por uma grande angústia por ter absoluta consciência de que tudo culminaria com Sua morte. Avisou Seus discípulos: "Eu serei traído, entregue nas mãos dos homens, condenado à morte, crucificado, mas eu ressuscitarei" (Mt 20, 18-19).

Por mais que estivesse preparado, quando chegou a hora, Jesus se assustou, e os Evangelistas não hesitam em expor o lado humano do Senhor, verdadeiramente homem, verdadeiramente Deus. Na escuridão do Horto das Oliveiras, Ele desmoronou: rezou, chorou e suou sangue, tão grande foi Sua agonia. E, como já citado anteriormente, Ele pediu: "Pai, se possível, afasta de mim este cálice." Deus então enviou um anjo que O confortou. Foi a consolação de Deus, a presença divina na vida de Jesus.

Fazendo um paralelo com o sofrimento humano, por mais que estejamos prostrados, combalidos, doentes, podemos clamar: "Senhor, assim como experimentaste a consolação de Deus, que nós também recebamos um anjo que nos conforte."

Ninguém escapa dos momentos de angústia. Todos têm os seus. E é muito comum pensarmos que não era hora de aquilo acontecer em nossa vida. Chegamos a pedir a Deus uma trégua, um tempo, mas é justamente nesses momentos que os anjos se aproximam mais de quem tem fé.

Acredite: nessas horas cinzentas, os anjos estão mais próximos, assim como Maria, Mãe de misericórdia sempre atenta para acolher os filhos e filhas machucados.

Andarilho e pregador itinerante, Jesus passou por inúmeras cidades e regiões. Pregava e anunciava a Boa-nova do Reino. Mas que Boa-nova era essa?

A de que Deus está ao lado dos que sofrem. Ele caminha com o Seu povo e olha para aqueles que o mundo não enxerga mais. Jesus acolhia aqueles que todos haviam rechaçado e excluído. Ainda hoje Ele nos anuncia: "Eu estou contigo, eu te ajudo a levantar, eu te ajudo a ficar de pé, eu te ajudo a passar por essa hora cinzenta, eu te ajudo a superar suas perdas."

Outro personagem do Evangelho que sempre cito é Maria Madalena, a quem Jesus libertou de sete demônios. Contudo, a maior transformação experimentada por ela foi ter compreendido as palavras do Mestre ao dizer que de nada adianta eliminar os demônios, arrumar a casa e deixá-la vazia. Jesus alertou sobre esse grande perigo, pois os demônios expulsos podem reunir uma nova legião e voltar, e aí a ruína será pior (cf. Lc 11, 24-26).

O mesmo vale para a superação das nossas dores e perdas: a "casa" não pode ficar vazia, ou seja, mesmo quando nos libertamos de um mal, não podemos deixar espaço para que outro venha e se instale. Trata-se de preencher o vazio com alguma coisa que ocupe o pensamento e traga conforto. Maria Madalena foi sapientíssima justamente porque, quando Nosso Senhor tirou-lhe os sete demônios, não ficou com a casa arrumada e vazia. Ela preencheu o vazio com o Senhor e se pôs a servi-Lo. Maria Madalena seguiu o Mestre e esteve presente na crucificação, enquanto outros debandaram.

Se ela fez essa experiência, por que nós não podemos fazê-la?

Então, nas horas cinzentas, vamos pintar a vida com as cores e os tons que vêm de Deus. Vamos ressignificar o sofrimento pelo que perdemos e fazer um colorido lindo com aquilo que Deus nos dá.

Dessa forma, não haverá lugar para o mal em nossa "casa", e sentiremos o verdadeiro poder da cura.

Para rezar

Senhor Jesus das Santas Chagas, mestre do amor,
Venho Te pedir a graça da cura interior.
Cura as feridas que os olhos não veem, mas o coração
    sente.
Conheces, Senhor, minhas fragilidades e limitações.
Sabes de todas as marcas e mágoas que trago comigo.
Vem com Teu poder e toca aquelas feridas que
    ficaram
Depois de tantas situações difíceis,

PE. REGINALDO MANZOTTI

De tantas traições e abandonos,
Aquelas feridas que precisam ser perdoadas.
Ajuda-me a perdoar.
Ajuda-me neste processo de libertação.
Livra-me de todas as marcas do meu coração.
Reconstrói-me, renova-me e restaura-me, Senhor.
Faz de mim uma pessoa nova,
Regenerada na Tua misericórdia.
Amém.

CONCLUSÃO

Precisamos ter consciência de que a ação de Jesus vai muito além da cura física. Ela é a salvação!

Jesus está e continuará vivo, hoje e sempre. Então, a obra curadora de Jesus continua, não parou no tempo.

A grande vantagem está em que Jesus não é um simples curandeiro, mas o grande Curador. Sabe a doença que temos, e a Sua cura é total: física e espiritual. Ele cura e liberta.

A libertação é fruto da cura e mãe da felicidade. Como vimos neste livro, Deus cura o homem completamente para fazê-lo mais livre; e, sendo mais livres, somos mais felizes. É importante, no entanto, entender que a liberdade não implica apenas autonomia em relação às nossas escolhas, como também sabedoria ao fazê-las.

Além disso, para alcançarmos a cura, precisamos acreditar na gratuidade do amor de Deus. Ele é gratuitamente bom, mas esse amor é um dom que precisa ser trabalhado de forma a melhorar a nossa relação com Deus e com o próximo. Digo a você que lê atentamente estas palavras finais: todos nós somos seres em construção.

Vimos, ainda, que, enquanto a ciência nos ajuda a pensar, a fé nos ajuda a viver melhor. Podemos ser, a um só tempo, adeptos da fé e da ciência, com equilíbrio. Quem decide e age apenas com base na racionalidade está sempre aquém do seu verdadeiro potencial humano, de homem criado à imagem e semelhança de Deus. Por isso, fiz questão de enfatizar a importância da cura espiritual de órgãos e membros vitais do nosso corpo.

Temos de cuidar dessas "janelas" para permanecermos firmes nas boas convicções, colaborando com a graça para que a Luz de Cristo irradie e se difunda em todos os ambientes. À medida que progredimos no caminho espiritual, nós nos libertamos de todas as amarras, deixamos de agir em benefício próprio ou de buscar apenas o que nos traz satisfação, passando a trilhar o caminho em direção ao próximo.

Em certo ponto do livro, pude dizer que Deus é um eterno peregrino em busca do ser humano. Essa é a Boa-nova para todos nós, que Jesus nos anuncia sem meias palavras: "Eu estou contigo, Eu te ajudo a levantar, Eu te ajudo a ficar em pé, Eu te ajudo a passar por essa hora cinzenta, Eu te ajudo a superar suas perdas!"

Aqui eu conclamo novamente: pintemos as horas cinzentas com as cores e os tons daquilo que Deus nos dá! Fazendo o bem em nossa "casa", não haverá lugar para o mal no mundo, e a cura será total.

Finalizo este livro repetindo esta que é uma certeza alentadora: Jesus sabe o que estamos passando, incluindo todas as nossas preocupações nesses tempos difíceis. Deixemos, portanto, que Ele preencha todas as áreas do nosso ser, pois é dessa conexão profunda entre nós e o Senhor que emana o verdadeiro poder da cura.

REFERÊNCIAS BIBLIOGRÁFICAS

Bíblia Ave-Maria. São Paulo: Ave-Maria, 1959.
Bíblia de Jerusalém. São Paulo: Paulus, 2002.
Bíblia Sagrada. Edição pastoral. São Paulo: Paulus, 2005.
Bíblia Sagrada. Nova tradução na linguagem de hoje. São Paulo: Paulinas, 2011.
Catecismo da Igreja Católica: Edição Típica Vaticana. São Paulo: Edições Loyola, 1999.
Congregação para a Doutrina Da Fé, *Instrução sobre as orações para alcançar de Deus a cura*. Editora Paulinas, 6.ª edição, 2010.
Haught, John F. *Cristianismo e ciência para uma teologia da natureza*. Trad. Jonas Pereira dos Santos. São Paulo: Paulinas, 2009.
Santa Maria Faustina Kowalska. *Diário de Santa Faustina*. Curitiba. Editora: Apostolado da Divina Misericórdia, 41.ª edição, 2020.
São João Paulo II, Carta apostólica *Salvifici Doloris*. São Paulo. Editora Paulinas, 1998.
_____, Carta encíclica *Fides et ratio*. São Paulo: Editora Paulinas, 1999.
_____, *Teologia do corpo: o amor humano no plano divino*. Campinas: Ecclesiae, 2019.
São Tomás de Aquino, *Suma teológica*, 5 vols. Campinas: Ecclesiae, 2016.

Direção editorial
Daniele Cajueiro

Editor responsável
Hugo Langone

Edição de texto
Marco Polo Henriques
Cleusa do Pilar Marino Siero

Produção editorial
Adriana Torres
Laiane Flores
Mariana Lucena

Revisão
Perla Serafim
Rita Godoy
Thais Entriel

Diagramação
DTPhoenix Editorial

Este livro foi impresso em 2022
para a Petra.